ARANCIA - LIMONE - AGLIO - CIPOLLA

curano e guariscono

Eugenio G. Vaga

ARANCIA - LIMONE AGLIO - CIPOLLA

curano e guariscono

Giovanni De Vecchi Editore - Milano

Prefazione

Niente è più difficile da prendere in considerazione che i valori intrinseci dei prodotti che abbiamo sempre sotto gli occhi!

Per renderci conto di ciò basta pensare per un attimo a quanto siano importanti, sia per la nutrizione sia per la terapia valida contro svariati malanni, i frutti dell'arancio, del limone, l'aglio e la cipolla. Questi prodotti, e altri ancora, fanno parte della moderna erboristeria che, sulle orme della vecchia terapia vegetale, di cui erano maestri e cultori i più grandi e illustri medici dell'antichità (da Asclepio, dell'isoletta greca di Coos, dove aveva i suoi ospedali, nei quali si usavano come uniche terapie le erbe medicinali allora conosciute, ai sommi sacerdoti assiro-babilonesi, egizi, greci sino al grande naturalista Plinio il Vecchio e a Galeno, Dioscoride, sant'Alberto Magno, al Mattioli e a tanti altri illustri che hanno curato un'infinità di generazioni, sia plebee sia patrizie, soltanto con l'ausilio della natura), si sta ora nuovamente sviluppando ed arricchendo di nuove nozioni molto importanti per la salute pubblica. Naturalmente ciò è dovuto agli approfonditi studi che si svolgono ora in attrezzatissimi laboratori.

Si è tentato tanto nel passato quanto nel presente di ostacolare e soffocare l'erboristeria, con mezzi non sempre leciti, ma le forze della natura prendono sempre il sopravvento perché l'uomo è portato, per atavico istinto, a ricorrere ai vegetali, con i quali "dovrebbe vivere in perfetta simbiosi", per curarsi dei molti malanni che la moderna vita innaturale gli procura.

In questo periodo più che mai avvelenato dai moderni prodotti chimici, dalle acque inquinate, dai vegetali rigurgitanti di anticrittogamici, l'uomo sente l'impellente bisogno di rivolgersi ancora alla natura, dalla quale potrà avere quasi tutto quello che gli occorre per una vita sana.

Anche le muffe, dalle quali si estraggono gli antibiotici, sono vegetali; a tal proposito ricordiamo che in antichità, anche se non si conoscevano le più corrette e appropriate applicazioni di tali ritrovati, si sapeva ad esempio che la muffa azzurrognola prodotta dal limone marcio serviva egregiamente a guarire le ferite suppuranti dei valorosi legionari romani.

Il limone

Il *Citrus limonum Risso* della famiglia delle Citracee è originario del Sud-Est asiatico, forse della Malesia. Questo vegetale era già conosciuto dai romani e dai greci fin dalla prima metà del primo secolo dopo Cristo e gli arabi ne estesero la sua coltivazione in Africa da dove prese il nome: *limun*.

Là costituzione chimica del frutto è formata da acqua (88,96%), sostanze proteiche (0,38%), grassi (0,35%), idrocarbonati (9,51%) e sali (0,38%) massimamente di potassio, sodio, calcio, magnesio, zolfo, ferro, rame, fosforo e cloro. Il succo contiene il 9,3% di acido citrico ed è ricco di vitamine: A, B_1, P e principalmente di vitamina C che oltre a essere antiscorbutica è molto importante perché attiva i processi ossidativi dei tessuti e sviluppa l'azione degli enzimi e la formazione delle sostanze stimolatrici (ormoni). È pure tonico e antinfettivo, favorisce la disintossicazione dell'organismo da diverse tossine, particolarmente da quelle messe in circolazione dalla tubercolosi. Il succo contiene anche citrati di sodio e di potassio che hanno un notevole potere depurativo, diminuiscono la viscosità del sangue e fanno aumentare il tasso di trombina (utile per la cicatrizzazione dei vasi lesi), acido malico e tartarico che durante la digestione vengono trasformati in sali.

L'esperidio, per quanto non possa considerarsi prettamente un frutto da tavola, sebbene alcuni lo considerino addirittura companatico (con grande vantaggio dei denti e delle gengive), è talmente importante per l'alimentazione umana che dobbiamo doverosamente conoscerne sia i pregi culinari sia quelli medicamentosi.

Il succo di limone è universalmente noto come condimento (non mai adulterato né sofisticato) delle vivande crude e cotte, di cui aumenta il limite di digeribilità e di assimilazione. Viene poi principalmente usato da coloro a cui è stato proibito l'uso dell'aceto. Il succo però, quando non viene usato come condimento ma come correttivo di bevande dissetanti o per uso terapeutico (se non specificato diversamente), deve sempre essere diluito al 50% con acqua, perché bevuto puro, specialmente a digiuno, potrebbe far insorgere una ulcera gastrica o duodenale. Dal lato terapeutico si è talmente abituati a sorprendenti risultati ottenuti tramite i limoni, che non ci si stupisce più. I casi di assoluta intolleranza a queste cure sono molto rari e per lo più provocati solo dal timore che proviene da un pregiudizio. Naturalmente non si deve però cadere nell'eccesso opposto e pretendere di fare ingerire a un individuo un certo numero di frutti, o il loro succo, senza tener presente le diverse condizioni fisiche. Infatti certi disturbi neurovegetativi come pure le febbri con diarrea e i casi di iperacidità costituiscono una controindicazione a queste terapie vegetali. È più che naturale che occorre uniformarsi a un principio di non violenza e tener presente il precetto di Ippocrate: "Innanzi tutto non nuocere", per cui si dovrà agire con prudenza e moderazione, specialmente nel caso specifico dei vasi sanguigni, la cui cura richiederà un lentissimo adattamento onde ovviare alla rottura dei capillari, che può essere seguita da quella dei vasi più importanti. Si dovranno quindi cominciare le cure in fase crescente e poi decrescente, magari cominciando da mezzo limone o un limone al giorno sino a che l'organismo si sia abituato e poi aumentare di un mezzo o un limone ogni due o tre giorni.

Le cure devono essere sempre fatte con limone addolcito con miele.

Il succo deve essere sempre conservato in vasellame di vetro, di coccio o di smalto.

Per conservare i limoni in casa anche per lungo tempo si devono mettere sotto sale o in acqua salata oppure in sabbia molto fine e asciuttissima.

L'acido citrico delle farmacie, mescolato con zucchero in polvere, viene ritenuto assai efficace contro l'ozena se viene insufflato nel naso.

Acidità di stomaco. Iperacidità del succo gastrico.

Cura dietetica: bere una tazza al mattino a digiuno e una verso le diciotto di succo di due frutti addizionato con acqua al 50% e con un cucchiaio di miele.

Acne. Lesioni materiali o disturbi funzionali del sistema sebaceo-pilare.

Cura dietetica: bere più volte al giorno il succo di un frutto addizionato con un cucchiaino di miele.

Affezioni epatiche. Disturbi di fegato.

Decotto: tagliare un frutto, con la buccia molto ben lavata, e farlo bollire per 15 minuti in g 350 di acqua.

Posologia: una tazza al mattino a digiuno e una alla sera, mezz'ora prima di coricarsi. Sarà bene addolcire il decotto con un cucchiaio di miele.

Afta. Manifestazione di forma tondeggiante e piana della flogosi della mucosa boccale.

Cura esterna: fare degli sciacqui orali, cinque o sei volte al giorno, con un liquido preparato mettendo in infusione g 150 di succo e g 100 di miele in g 200 di acqua fredda, mescolando bene e lasciando riposare per 20 minuti.

Alitosi. Alito cattivo.

Cura esterna: al mattino a digiuno, verso le diciotto e alla sera prima di coricarsi, fare degli sciacqui orali con un infuso ottenuto mettendo g 200 di succo in g 200 di acqua fredda e aggiungendo, dopo aver agitato bene, g 25 di polvere di semi di anice. Si lasci riposare il tutto per circa 4 ore, quindi filtrare.

Arteriosclerosi. Degenerazione e indurimento delle arterie che, quando è molto pronunciato e diffuso, produce una malattia generale caratterizzata da disordini circolatori e da alterazioni degli organi.

Posologia: una tazza di decotto, come sopra descritto, al mattino a digiuno e una alla sera, mezz'ora prima di coricarsi. Sarà bene addolcire il decotto con un cucchiaio di miele.

Cura	a piccole dosi, ogni giorno bere da g 150
dietetica:	a g 200 di succo addizionato al 50% con
	acqua; oppure prendere il succo di due o tre
	limoni addizionato al 75% con acqua, per
	10 giorni consecutivi alternati con altrettanti
	di riposo.

Artrite. Infiammazione di una o più articolazioni.

Cura	cominciare a bere il succo di un limone ad-
dietetica:	dizionato al 50% con acqua e un cucchiaio
	di miele il primo giorno, sino ad arrivare, au-
	mentando di un frutto al giorno, a 10 e quin-
	di diminuire, sempre di uno al giorno, sino
	ad arrivare a un limone. Continuare poi per
	15 o 20 giorni con un limone al giorno.

Artrosi. Affezione cronica delle articolazioni di natura degenerativa non infiammatoria.

Cura	succo addizionato al 50% con acqua e un
dietetica:	cucchiaio di miele.
	Cominciare a bere il succo di due limoni ad-
	dizionato al 50% con acqua e un cucchiaio
	di miele il primo giorno, sino ad arrivare,
	aumentando di un frutto al giorno, a 12 e
	quindi diminuire, sempre di uno al giorno, si-
	no ad arrivare a due limoni. Continuare poi
	per 15 o 20 giorni con due limoni al giorno.

Astenia. Debolezza generale.

Infuso: in g 250 di acqua bollente mettere in infusione g 5 di scorza ben tagliuzzata e lasciar riposare, coperto, per 20 o 25 minuti.
Posologia: una tazza al mattino a digiuno e una verso le diciassette con l'aggiunta di un cucchiaio di miele.

Atonia. Mancanza di tensione, rilasciamento dei muscoli e in generale diminuita eccitabilità e funzionalità degli stessi.

Cura dietetica: al mattino a digiuno e verso le diciotto, bere una tazzina di succo addizionato al 50% con acqua, un cucchiaio di miele e una fettina di pompelmo. Questa bibita, oltre a essere tonica e corroborante, nutritiva, molto gustosa e adatta a estinguere la sete, è valida anche per vincere le leggere intossicazioni intestinali e spesso anche le diarree. Tonifica il fegato. È consigliabile prendere poi l'abitudine di aggiungere alle verdure crude un poco di scorza di limone grattugiata.

Atonia intestinale. Mancanza di tensione, rilasciamento dei tessuti e in generale diminuita eccitabilità e funzionalità del complesso dei tessuti muscolari intestinali.

Infuso: in g 350 di acqua bollente mettere in infusione g 10 di scorza ben tagliuzzata e lasciar riposare, coperto, per 18 minuti.
Posologia: una tazza al mattino a digiuno e una verso le diciassette, con l'aggiunta di un cucchiaio di miele.

Atonia senile. Deficiente tonicità dei muscoli dovuta all'età avanzata.

Tintura: macerare g 50 di scorza fresca in g 100 di alcool a 85° per 10 giorni quindi filtrare.
Posologia: da 50 a 60 gocce in due dita di acqua o meglio di vino bianco secco genuino per tre volte al giorno lontano dai pasti.

Bronchite. Infiammazione dei grossi e medi bronchi. Può essere favorita anche da affezioni rinofaringee.

Cura dietetica: come coadiuvante nella cura della bronchite è consigliabile bere ogni giorno un paio di limonate calde addizionate con miele.

Calcolosi renale. Concrezione che si forma in seno all'urina renale dovuta a precipitazioni di sali.

Cura dietetica: il primo giorno bere il succo di un frutto addizionato al 50% con acqua, aumentando gradatamente di un limone al giorno sino al settimo e poi diminuire, sempre gradatamente, del succo di un frutto al giorno, sino ad arrivare a uno solo. Fare la cura due volte consecutive.

Calcolosi vescicale. Concrezione da precipitati di sali che si forma nella vescica.

Cura dietetica: il primo giorno bere il succo di un limone addizionato al 50% con acqua e un pochino di miele, aumentando gradatamente di uno al giorno sino ad arrivare all'ottavo; poi decrescere e, sempre gradatamente, di uno al giorno sino ad arrivare a due. Continuare con due sino al 15° giorno.

Calli. Tessuti neoformati di difesa.

Cura esterna: mettere una fettina di limone sul callo alla sera, fasciare e lasciare tutta la notte. Ripetere due o tre volte e poi al mattino il callo può essere facilmente asportato.

Cattiva circolazione. Disturbi vari dell'apparato circolatorio.

Cura dietetica: bere una tazza al mattino, a digiuno, una durante il pasto di mezzogiorno e una alla sera verso le ventidue, di succo addizionato al 50% con acqua e un cucchiaio di miele.

Clorosi. Forma di anemia che colpisce di regola le giovinette all'epoca della pubertà.

Sciroppo: in g 200 di acqua bollente mettere in infusione g 15 di foglie del frutto ben sminuzzate e lasciar riposare per un'ora. Filtrare e poi aggiungere a bagnomaria g 180 di zucchero. *Posologia:* bere a cucchiai durante la giornata.

Colecistite. Infiammazione della vescichetta biliare.

Infuso: in g 300 di acqua bollente mettere in infusione g 10 di scorza ben tagliuzzata e lasciar riposare coperto per 15 minuti. Aggiungere poi g 100 di succo spremuto.
Posologia: una tazzina al mattino a digiuno, una verso le undici, una verso le diciotto e una alla sera, mezz'ora prima di coricarsi. L'infuso deve sempre essere preso tiepido e addizionato con miele.

Colera. Malattia epidemica dovuta a vibrione colerigeno di Koch.

Antisettico: per sterilizzare l'acqua, mettere il succo e aspettare 30 o 35 minuti, affinché l'acqua sia immune da batteri. I vibrioni del colera vengono uccisi in circa mezz'ora in una limonata composta al 6% di acido citrico e al 5% di zucchero.

Colica epatica. Contrazioni spasmodiche dolorose dei canali del fegato.

Cura dietetica: a g 250 di succo puro aggiungere g 300 di acqua e due cucchiai di miele che deve essere sciolto molto bene. Berne una tazza al mattino a digiuno e una verso le diciotto, prese sempre tiepide e a piccoli sorsi. Questa cura si dovrà fare soltanto a crisi dolorosa conclusa.

Convalescenza. Periodo intermedio fra la malattia e la guarigione in cui l'organismo ripara alle perdite subite e ripristina la funzione normale di tutti gli organi.

Sciroppo: infondere in g 250 di acqua bollente g 20 di foglie ben sminuzzate e lasciar riposare, coperto, per un'ora. Filtrare e aggiungere a bagnomaria g 200 di zucchero e g 15 di miele. *Posologia:* bere a cucchiai durante la giornata.

Diabete. Malattia caratterizzata da un'anomalia nel ricambio degli idrati di carbonio, di cui una parte non assimilata passa nelle urine sotto forma di glucosio o levulosio.

Cura dietetica: salvo controindicazione specifica giova una cura di succo, prendendone sino a otto o nove volte al giorno, per 8 giorni, ogni due mesi.

Dispepsia gastrica. In generale è l'alterazione della funzione digestiva, di qualunque natura essa sia.

Infuso: in g 200 di acqua bollente mettere in infusione g 10 di scorza, molto ben sminuzzata e lasciar riposare, coperto, per 20 minuti. *Posologia:* una tazza dopo i pasti principali.

Eczema. In generale si tratta di un'alterazione infiammatoria della cute con arrossamento, prurito e formazione di squame o di vescicole e di croste.

Cura dietetica: bere limonate tiepide ottenute con succo addizionato al 50% con acqua e un cucchiaino di miele, al mattino, a digiuno, uno verso le diciotto e uno alla sera.

Elmintiasi. Malattia derivata dall'attecchimento parassitario nell'uomo, specialmente nell'intestino, di vermi.

Cura dietetica: durante la giornata bere a piccoli sorsi il prodotto ottenuto bollendo in g 400 di acqua, per 15 o 20 minuti, un frutto intero tagliato a fette. A volte basta somministrare a un bambino i semi ben contusi con un poco di miele per sbarazzarlo dagli ossiuri.

Emicrania. È una forma speciale di cefalalgia, per lo più limitata a metà della testa; compare ad accessi, collegata ad alterazioni vasomotorie e ad altri disturbi vegetativi.

Cura dietetica: prendere il succo in una tazza di caffè nero, quando l'emicrania abbia origine digestiva. Nel caso essa sia dovuta a disturbi nervosi prendere il succo di un frutto in un infuso di foglie e fiori di passiflora (mettere g 5 di prodotto in infusione in g 250 di acqua bollente e lasciar riposare per 20 minuti), o in infuso di fiori di arancio amaro (mettere g 5 di prodotto in infusione in g 150 di acqua bollente e lasciar riposare per 20 minuti), oppure in infuso di radice o rizoma di valeriana (mettere g 5 di prodotto ben contuso in infusione in g 250 di acqua bollente e lasciar riposare per 15 minuti).

Epistassi o sangue dal naso. È dovuta quasi sempre a una erosione varicosa locale della parte antero inferiore del setto.

Cura esterna: in vari casi in cui si hanno perdite di sangue dal naso dovute a lieve vasodilatazione, da accessi di tosse, da febbre elevata in caso d'influenza o da eccessi di calore, oltre alla usuale terapia delle compresse fredde, tamponare le narici con ovatta imbevuta nel succo senza però aspirarlo.

Eritema. Arrossamento della pelle diffuso o a macchie, dovuto a un aumento di afflusso sanguigno attivo dei vasi cutanei.

Cura esterna: applicare sulla parte un batuffolo di ovatta imbevuta nel succo addizionato al 50% con acqua e un cucchiaio di miele, il tutto molto ben omogeneizzato.

Cura dietetica: bere per tre volte al giorno (mattino, pomeriggio e sera) una limonata calda (succo in g 100 di acqua e un cucchiaino di miele).

Febbre intermittente. Febbre che consta di accessi separati da periodi di ore o di giorni di completa assenza.

Infuso: in g 150 di acqua bollente mettere in infusione g 30 di scorza torrefatta o ridotta in polvere e lasciar riposare, ben coperto, per 15 minuti.

Posologia: tre tazzine al giorno lontane dai pasti e sempre tiepide. All'infuso si può aggiungere miele ed eventualmente anche una fettina di limone.

Flebite. Infiammazione delle vene.

Cura dietetica: prendere il succo di un limone al giorno, addizionato al 50% con acqua e un cucchiaino di miele, aumentando gradatamente di un frutto al giorno sino ad arrivare a dieci e poi diminuire ancora di un limone al giorno sino ad arrivare a due e continuare così per altri 15 giorni; è una terapia che se è fatta bene sostituisce il salasso e agisce favorevolmente sui vasi colpiti.

Questa cura è molto vantaggiosa se in luogo dell'acqua si usa l'infuso di foglie di betulla (mettere g 10 di prodotto, ben sminuzzato, in infusione in g 300 di acqua bollente e lasciare riposare mezz'ora). La bevanda in questo caso dovrà essere sempre presa tiepida.

Gastralgia. Dolore di stomaco di natura nevralgica.

Infuso: in g 250 di acqua bollente mettere in infusione g 5 di camomilla e lasciar riposare 15 minuti. Aggiungere all'infuso il succo di mezzo limone.

Posologia: una tazza o due all'occorrenza.

Geloni. Dipendono da una predisposizione individuale che consiste presumibilmente in una disfunzione vaso-motoria di cui non sono ancora ben precise le cause.

Cura esterna: al primo apparire dei geloni fare subito dei massaggi, più volte al giorno, con succo puro di limone.

Gengivite con stomatite. Infiammazione delle gengive e della mucosa della bocca.

Cura esterna: prendere del succo addizionato al 50% con acqua e un cucchiaino di miele e sciacquare le gengive e la bocca parecchie volte al giorno. Quando poi si è spremuto il succo, usare l'interno della buccia per strofinare le gengive e i denti che verranno così imbiancati e rinforzati nelle radici.

Glossite. Infiammazione della lingua.

Cura esterna: fare quattro sciacqui al giorno, di una ragionevole durata, sempre con mezzo limone e altrettanta quantità di acqua.

Gotta. Disturbo cronico della nutrizione in cui, sotto l'influenza dell'acido urico in eccesso nel sangue e nei tessuti, si determinano delle localizzazioni dolorose e per lo più accessionali nelle articolazioni, con complicazioni negli organi interni.

Cura dietetica: prendere il succo di due o tre limoni maturi per tre giorni; in seguito aumentare di un limone sino ad arrivare a sei, quindi diminuire di uno al giorno sino ad arrivare a due. Continuare poi con due limoni al giorno per una ventina di giorni. Ben inteso che i limoni dovranno essere sempre presi con uguale quantità di acqua e un poco di miele.

Gravidanza. Stato della donna fra il concepimento e il parto.

Infuso: in g 250 di acqua bollente mettere in infusione g 5 di scorza, molto ben tagliuzzata, e lasciar riposare coperto, per 18 minuti.
Posologia: una tazzina al mattino a digiuno e una verso le diciotto, addizionate a una fettina di limone e miele. Questa cura aiuta molto la futura madre sia nella digestione che in tutti gli altri disturbi che sopravvengono in questo particolare stato della donna.

Inappetenza. Mancanza di appetito.

Tintura: macerare g 50 di scorza, molto ben tritata, in g 100 di alcool a 85° per 9 giorni, quindi filtrare.
Posologia: da 60 a 80 gocce in due dita di vino bianco secco, prima dei pasti principali.

Infezioni. Si sviluppano per influenza delle tossine prodotte da alcuni agenti patogeni.

| *Cura esterna:* | succo di limone puro su tutti i tagli o morsicature di cani, in mancanza di altri prodotti disinfettanti a portata di mano. In caso di infezione dovuta a bacilli della dissenteria, paratifo, tifo, colera, ecc. succo allungato con acqua. |

Insufficienza epatica. Inadeguata funzionalità del fegato.

| *Infuso:* | in g 300 di acqua bollente mettere in infusione g 5 di scorza ben tritata e lasciar riposare per 25 minuti.
Posologia: una tazzina al mattino a digiuno e una alla sera, mezz'ora prima di coricarsi, sempre addizionate a miele. |

Insufficienza gastrica. Inadeguata funzionalità gastrica.

| *Infuso:* | in g 250 di acqua bollente mettere in infusione g 5 di scorza molto ben tritata, e lasciar riposare, coperto, per 20 minuti.
Posologia: una tazzina dopo i pasti principali. |

Ipertensione. Aumento transitorio o permanente della pressione del sangue nel sistema arterioso.

| *Cura dietetica:* | succo di due limoni addizionato al 50% con acqua e miele, il primo giorno, poi aumentare di un frutto sino a 12; quindi diminuire di uno sino ad arrivare a due limoni al giorno. Poi ancora 8 giorni a due limoni. |

Ipertiroidismo. Sindrome di ipersecrezione della tiroide.

Cura dietetica: succo di tre limoni addizionato al 50% con acqua e miele, per 3 giorni. Fare questa cura ogni 10 giorni.

Itterizia. Stato patologico dovuto alla diffusione dei componenti della bile nel sangue e nei tessuti dell'organismo.

Cura dietetica: al mattino a digiuno e al pomeriggio verso le diciassette bere due tazze di succo addizionato al 50% con acqua e un cucchiaio di miele.

Mal di gola. Infiammazione della gola con febbre, dipendente da raffreddamento.

Cura esterna: per i bambini sono molto efficaci i gargarismi fatti con succo addizionato al 50% con acqua, per varie volte al giorno; per gli adulti usare succo puro.

Malaria. Malattia infettiva dovuta alla presenza nel sangue di sporozoi del genere dei Plasmodi. inoculati mediante la puntura di zanzare.

Sciroppo: infondere in g 250 di acqua bollente g 25 di foglie ben sminuzzate e lasciar riposare per un'ora. Aggiungere poi g 200 di zucchero e far liquefare a bagnomaria.
Posologia: bere a cucchiai ben distanziati durante la giornata.

Metabolismo basale alterato. Metabolismo designa il processo di rinnovazione di ricambio naturale delle cellule e dei tessuti.

Cura dietetica: al mattino a digiuno, verso le diciotto e alla sera verso le ventidue, sempre tiepido e a piccoli sorsi, bere una tazza di succo addizionato al 50% con acqua e un cucchiaino di miele.

Meteorismo. Forte distensione dell'addome per eccessivo sviluppo di gas nello stomaco e nell'intestino.

Infuso: in g 500 di acqua bollente mettere in infusione g 10 di buccia, molto ben lavata e tritata, e lasciar riposare, coperto, per 25 minuti. *Posologia:* una tazza al mattino a digiuno, una verso le diciotto e una alle ventidue, sempre tiepide e a piccoli sorsi.

Nefrite. Infiammazione renale.

Sciroppo: mettere in infusione in g 250 di acqua bollente g 20 di foglie, ben sminuzzate, e lasciar riposare per un'ora, quindi aggiungere g 200 di zucchero (che si farà sciogliere a bagnomaria). *Posologia:* una tazzina al mattino a digiuno e una mezz'ora prima di coricarsi, entrambe addolcite con miele.

Nevralgia. Dolore di considerevole intensità, per lo più accessionale, senza alterazioni anatomiche evidenti dei nervi dolenti.

Cura
esterna: per la nevralgia facciale soffregare la guancia colpita con mezzo limone. Per cefalalgia mettere delle fettine sulle guance, sulle tempie e dietro le orecchie.

Obesità. Accumulo di grasso in tutto l'organismo in proporzioni molto superiori alle normali e quindi derivate da un'alterazione del ricambio.

Decotto: in g 100 di acqua bollire, per 15 minuti, tre limoni e due pompelmi, preventivamente lavati molto bene. A bollitura finita aggiungere g 5 di miele e far ribollire per 5 minuti. Filtrare e conservare in un vaso di coccio.
Posologia: un bicchiere di decotto prima dei pasti. In tal modo diminuisce il grasso e vi è un aumento dei movimenti peristaltici intestinali, della secrezione biliare e dell'urina.

Occhio di pernice. Escrescenza carnosa che prolifica fra un dito e l'altro dei piedi.

Cura
esterna: una fettina trattenuta per una notte sulla parte interessata la ammorbidisce tanto che l'escrescenza può essere asportata.

Polmonite. Infiammazione dei polmoni.

Cura dietetica:	oltre al trattamento prescritto dal medico nel periodo di dieta stretta, giova l'uso di un paio di cucchiai di olio di oliva con il succo di un limone, al giorno.

Porpora emorragica. Emorragia avvenuta nel corpo papillare del derma che si traduce in una macchia cutanea di colore rosso-bruno-bluastro.

Cura dietetica:	una tazza al mattino a digiuno e una verso le diciotto di succo di limone, addizionato al 50% con acqua e un cucchiaio di miele.

Prurito. Sensazione cutanea che stimola a grattarsi.

Cura esterna:	soffregare la parte con mezzo limone.

Punture di zanzara. Piccole infiammazioni cutanee dovute alla puntura di tale insetto.

Cura esterna:	tagliare un limone e strofinare una mezza parte dove la zanzara ha succhiato il sangue.

Rinite catarrale. Infiammazione della mucosa nasale più conosciuta come raffreddore.

Cura dietetica:	una limonata ben calda e addolcita con miele, la sera a letto prima di dormire. Nel caso di raffreddore di testa instillare qualche goccia di succo nel naso.

Reumatismo articolare acuto e sub-acuto. Malattia (dei muscoli, delle articolazioni e anche dei visceri) che si riteneva dovuta a influenze puramente atmosferiche. Invece molte di queste affezioni sono di natura infettiva, anche se ancor oggi sono ignoti i microrganismi provocatori.

Cura dietetica: il primo giorno prendere il succo di due limoni addizionato al 50% con acqua e miele; aumentare di due al giorno sino ad arrivare a 30. Regredire poi di due limoni sino ad arrivare a due al giorno. Dopo una settimana di riposo ripetere la cura. Molte volte questa cura si è rivelata più utile dei preparati salicilici.

Oppure bollire un limone fresco da giardino con la quantità di acqua contenuta in un bicchiere sino a che il limone sia ridotto alla metà del suo volume. Fare questa cura per tre settimane consecutive.

Scorbuto. Malattia dovuta a carenza di vitamina C.

Infuso: infondere in g 250 di acqua bollente g 5 di scorza ben tritata, e lasciar riposare per 18 minuti.

Posologia: una tazzina al mattino a digiuno, una verso le diciotto e una alla sera mezz'ora prima di coricarsi, sempre addolcite con miele.

Singhiozzo. Contrazione subitanea e spastica del diaframma rivelata da una scossa della base toracica e dell'addome e da un rumore rauco.

Cura dietetica:	succhiare una zolletta di zucchero preventiva-mente imbevuta in succo di limone. La tera-pia potrà essere ripetuta parecchie volte.

Stitichezza. Difficoltà nella defecazione.

Cura dietetica:	prendere il succo di mezzo limone in un bic-chiere di acqua tiepida e sorseggiare a digiu-no, camminando su e giù per la stanza.

Trombosi. Coagulazione del sangue nei vasi.

Cura dietetica:	una tazza al mattino a digiuno e una verso le diciotto di succo di due limoni addizionato con acqua al 25% e un cucchiaino di miele.

Ubriachezza da stupefacenti. Stato di ebbrezza dovuto a sostanze che ingerite agiscono sulla corteccia cerebrale, provocando disturbi tossici e alterazioni psichiche.

Cura dietetica:	bere il succo di tre limoni addizionato con ac-qua al 25%, a cucchiai molto ravvicinati.

Uricemia. Accumulo di acido urico nel sangue.

Cura dietetica:	vedasi arteriosclerosi.

Varici. Dilatazione delle pareti delle vene o anche dei vasi linfatici.

Cura	bere il succo addizionato al 50% con acqua
dietetica:	e un cucchiaino di miele il primo giorno; au-
	mentare di un limone al giorno sino ad arri-
	vare a sei, poi regredire di un limone al gior-
	no sino ad arrivare a due; continuare la cu-
	ra con due al giorno per 20 giorni.

Verruche alle mani. Escrescenze cutanee più o meno sporgenti, emisferiche, lisce o irregolari e rugose, di colorito di pelle normale o bruno.

Cura	sulla parte applicare un batuffolo di cotone
esterna:	idrofilo alternativamente impregnato di succo
	di limone puro, di aglio e di cipolla.

CONSIGLI COSMETICI

Macchie rosse sulla pelle ed efelidi. Piccole macchie tondeggianti e con margini frastagliati di color giallo pallido o bruniccio, localizzate per lo più sul viso e sulla parte anteriore degli avambracci.

Cura	per attenuarle leggermente applicare sulla par-
esterna	te un batuffolo di cotone idrofilo imbevuto nel
	succo di limone puro.

Occhi. Cura contro l'arrossamento e l'irritazione oculare.

| *Cura* | instillare negli occhi un collirio ricavato da |
| *esterna:* | succo e acqua bollita. |

Piedi. Rimedio per alleviare l'affaticamento e il gonfiore dei piedi.

Cura
esterna: strofinare la pelle dei piedi con succo imbevuto in un batuffolo di ovatta.

Unghie. Cura per ovviare all'inconveniente delle unghie fragili.

Cura
esterna: strofinare accuratamente con succo e, all'occorrenza, fare dei piccoli impacchi con batuffoli di ovatta impregnati di succo.

L'aglio

L'*Allium* (nome Virgiliano) *sativum* (contrazione di *seminativum*), della famiglia delle Gigliacee, sembra debba il nome al suo odore e sapore bruciante, infatti la parola celtica *all* significa proprio questa particolarità che lo contraddistingue dai molti altri vegetali. Il De Candolle dice che questo vegetale trae le sue origini dal deserto dei Kirghisi, ma Linneo ne indica come patria di origine la nostra bella e rigogliosa Sicilia.

Lasciamo comunque agli storici la ricerca delle origini di questa utile pianticella, perché la sua provenienza ci interessa relativamente, mentre riteniamo più interessante analizzare le sue doti terapeutiche: infatti, consumando questo ortaggio, non solo ci nutriamo di importanti principi vitali, ma curiamo anche le conseguenze di fastidiosi e talora pericolosi malanni.

Da ricerche fatte da scienziati di varie nazionalità si è scoperto che l'aglio è una sintesi di elementi che interessano direttamente il benessere del nostro organismo.

Ora, però, accenneremo solo ad alcuni di questi elementi, da noi reputati i più importanti, perché questo libro non ha pretese scientifiche, ma ha il solo scopo di divulgare una fitoterapia alla portata di tutti.

L'aglio contiene allicina che ha ottime proprietà battericide, per cui può benissimo essere considerato uno dei primissimi antibiotici, anche se la sua proprietà battericida è stata ignorata dalla scienza ufficiale per moltissimi anni.

Il vegetale in questione contiene anche delle sostanze che hanno proprietà simili agli ormoni, ragione per cui ha una sensibile azione frenante sulla glicemia e sulla glicosuria; acido nicotinico o vitamina PP (ottima nell'insufficienza epatica come vasodilatatrice, ecc.), biotina (occorrente per tenere lucida la mente, specialmente nell'età matura), vitamine A, B$_1$, C (delle quali ormai tutti conoscono l'importanza biologica), levulosio, pectine (tonificano l'intestino e inoltre correggono i difetti dell'acidità gastrica), fitosteroli, enzimi, lisozima (fermento batteriolitico), sostanze radioattive di uranio (che hanno influssi radianti capaci di modificare l'attività bio-elettrica dei plasmi vitali), sodio, potassio, fosforo, calcio e una quantità di zolfo che varia a seconda della provenienza della droga.

Dobbiamo anche segnalare in questi tempi difficili (parlando dal punto di vista dell'alimentazione, dato il grande numero di sofisticazioni che si riscontrano nei nostri cibi più importanti) che l'aglio ha spiccate qualità di prevenzione del cancro. A testimonianza di questa asserzione citiamo il Lochowski il quale, dopo accurate inchieste, scrive che il cancro è quasi sconosciuto presso quei popoli che fanno largo consumo di aglio; fra costoro cita particolarmente i cinesi, i serbi, i francesi della Provenza che sono grandi consumatori di questo vegetale. Si presume perciò che esso abbia una spiccata funzione inibitrice sulle cause che sviluppano le neoplasie.

Però anche gli apparati cardiovascolare e respiratorio beneficano delle sue virtù. La tintura di aglio rafforza anche l'energia di contrazione dei muscoli del cuore e produce un sensibile beneficio a effetto vasodilatatore nell'ambito delle coronarie. I polmoni a loro volta ne risentono un particolare vantaggio perché l'aglio aumenta l'attività respiratoria, sia per ampiezza che per frequenza degli atti respiratori. L'olio essenziale contenuto nella droga viene quasi totalmente eliminato attraverso l'apparato respiratorio ove però svolge un'ottima attività balsamica, espettorante e antisettica. La vita dell'uomo dipende esclusivamente dalla respirazione e quindi una cura intelligente dell'atto respiratorio prolunga la vita e dona una maggiore resistenza contro le varie malattie.

La tintura di aglio è validissima pure contro le affezioni artritiche, reumatiche e contro la coprostasi, ma soprattutto impedisce le lesioni arteriosclerotiche, con la scomparsa di molti disturbi soggettivi.

L'aglio, sotto qualsiasi forma si prenda, esplica anche una notevole azione calmante e antidiarroica, essendo dotato di una buona attività antisettica sulla flora intestinale patogena e quindi è anche eccellente nel sopprimere le noiosissime e fastidiosissime formazioni abnormi di gas. Stimola inoltre l'attività antidispeptica e antinicotinica. È un buon colagogo (favorisce l'afflusso della bile nell'intestino), e buon coleretico (eccita la secrezione biliare del fegato), combatte i nematodi, gli ascaridi e gli ossiuri, tutti vermi che danno tanto fastidio ai bambini e talvolta anche agli adulti. Il vegetale è anche vantaggioso nell'infiammazione catarrale intestinale, nelle affezioni gastroenteriche, nelle enteriti, nella dissenteria amebica, nella tubercolosi intestinale e nelle sue complicazioni.

Nei casi di anoressia è anche un buon aperitivo, aumenta la secrezione gastrica (secondo gli studi di ricerca fatti dal Bonem), fino al 30%.

È sconsigliato agli iperclorici e ai soggetti affetti da ulcera gastrica e duodenale, e da varie malattie della pelle. Per evitare l'evaporazione delle sostanze volatili, quando si richieda, frammentare con una forchetta l'aglio a bagno nell'olio di oliva.

Alopecia. Caduta dei capelli o dei peli in genere.

Cura esterna: applicare sulla parte tre bulbilli ben pestati (possibilmente nel mortaio) associati a g 50 di olio di ricino e a un pochino di acido salicilico.

Anoressia. Mancanza di appetito imputabile a cause diverse.

Tintura: macerare g 20 di bulbilli tagliati molto fini in g 100 di alcool a 50° per 12 giorni.
Posologia: da 10 a 12 gocce in due dita di vino bianco secco, prima di ogni pasto.

Arteriosclerosi. Degenerazione e indurimento delle vene, caratterizzati da disordini circolatori e da alterazioni degli organi.

Tintura: macerare g 25 di bulbilli tagliati molto fini in g 100 di alcool a 70° per 15 giorni, quindi filtrare.
Posologia: da 15 a 20 gocce, tre volte al giorno, in due dita di infuso di frutti di carvi (in g 200 di acqua bollente mettere in infusione g 5 di prodotto, possibilmente in polvere, e lasciar riposare per 20 minuti).

Artrite. Infiammazione di un'articolazione.

Tintura: macerare g 25 di bulbilli ben pestati in g 100 di alcool a 75° per 12 giorni, quindi filtrare. Addizionare il ricavato con quattro parti di alcool a 95° e lasciar di nuovo macerare per 30 giorni.

Posologia: gocce di tintura versate su una zolletta di zucchero o in acqua, cominciando da 10 e aumentando di una al giorno sino a 20.

Questa tintura è particolarmente adatta nella cura per l'artrite cronica.

Cura esterna: grattugiare vari bulbilli crudi e applicare la poltiglia direttamente a contatto della pelle. Dopo qualche ora si formerà una vescica piena di liquido che dovrà essere bucata con un ago sterilizzato dalla fiamma. Tolto il cataplasma, sostituire con un altro di argilla. Questo rimedio è efficace soprattutto in caso di artrite resistente.

Cura esterna: preparare un impasto di aglio pestato nel mortaio (una parte) e olio canforato (due parti). Usare per frizionare le parti dolenti.

Ascesso. Raccolta purulenta in una cavità chiusa.

Cura esterna: pestare e cuocere 6 o 7 bulbilli e applicarli sulla parte.

Bronchiectasia. Dilatazione dei minimi bronchi.

Tintura: macerare g 30 di bulbilli schiacciati in g 100 di alcool a 75°, per 12 giorni, quindi filtrare.
Posologia: da 25 a 40 gocce una volta al giorno, in infuso di semi di anice (in g 200 di acqua bollente mettere in infusione g 10 di prodotto, possibilmente in polvere, coperto, per un'ora).

Bronchite fetida. Infiammazione dei bronchi con manifestazioni purulente ed emanazioni di cattivo odore.

Tintura: macerare g 25 di bulbilli schiacciati in g 100 di alcool a 70°, per 14 giorni, quindi filtrare.
Posologia: da 30 a 40 gocce, due volte al giorno, in infuso di semi di anice stellato (infondere in g 250 di acqua bollente g 10 di prodotto e lasciar riposare, ben coperto, per un'ora).

Calcoli urinari. Concrezioni di precipitati di sali.

Decotto: in un quarto di latte bollire tre bulbilli, ben schiacciati, per 10 minuti.
Posologia: tre tazze al giorno: una al mattino a digiuno, una verso le diciassette e una alla sera.
Infuso: preparare un infuso di radice di aglio ben tagliuzzata, nella dose di g 10 in g 300 di acqua bollente, lasciar riposare il prodotto per 18 minuti.
Posologia: due tazze al giorno: una al mattino a digiuno e una alla sera verso le ventidue.

Calli. Tessuto neoformato di difesa.

Cura esterna: con 2 o 3 bulbilli schiacciati preparare una specie di pomata che si applica sulla parte con cerotto adesivo da rinnovare al mattino e alla sera. Dopo due volte fare un pediluvio. Oppure pestare 5 bulbilli in un mortaio e aggiungere g 50 di olio di ricino e un pochino di acido salicilico. Applicare alla sera, prima di coricarsi, coprire con naylon e fasciare. Ripetere per qualche sera e poi fare un pediluvio di decotto di pelle di patate o di edera. Eliminare quindi il callo dopo aver disinfettato l'unghia con alcool.

Cancro. Tumore maligno di origine epiteliale. Pare che l'aglio sia utile per combattere l'insorgenza del cancro grazie alla sua azione disintossicante intestinale: ostacola infatti la formazione dei prodotti di putrefazione nell'intestino, i quali hanno effetto cancerogeno.

Carie dentaria. Malattia dei denti caratterizzata da progressiva distruzione dell'avorio e della dentina.

Cura esterna: mettere sul dente il prodotto di aglio ottenuto pestando dei bulbilli nel mortaio.

Cistalgia. Dolori alla vescica urinaria.

Cura esterna: in g 600 di acqua bollire per 10 minuti g 50 di aglio ben pestato. Usare il decotto per fare impacchi sulla parte.

Ciste esterna. Tumorino cavo a contenuto liquido.

Cura strofinare la parte, varie volte al giorno, con
esterna: aglio crudo.

Colica ventosa. Dolori al ventre dovuti ad abnorme produzione di gas da putrefazioni intestinali.

Cura bollire nel latte vari bulbilli e poi applicarli
esterna: sull'ombelico.

Debolezza organica. Disturbo di origine congenita che indica un organismo di scarsa vitalità originaria.

Cura preparare un impasto composto da una par-
esterna: te di aglio crudo ben pestato e due parti di
olio canforato. Applicare sulla colonna ver-
tebrale con un lieve massaggio e lasciare per
un paio d'ore.

Diabete. Malattia caratterizzata da un'anomalia del ricambio degli idrati di carbonio di cui una parte non assimilata
passa nelle urine sotto forma di glucosio e levulosio.

Cura fare largo uso di aglio sia come condimento
dietetica: sia come companatico.
Tintura: macerare g 25 di bulbilli tagliati molto fini in
g 100 di alcool a 70° per 15 giorni.
Posologia: da 30 a 40 gocce al giorno in infuso di menta (in g 250 di acqua bollente
mettere in infusione g 5 di foglie ben sminuzzate, e lasciar riposare per 18 minuti).

Dissenteria. Malattia che ha per base una flogosi dell'intestino crasso.

Clistere: in g 150 di acqua bollire per 10 minuti un bulbillo molto ben schiacciato, quindi filtrare. Aggiungere al decotto due bicchieri di acqua e fare un clistere.

Dissenteria bacillare e amebica. Stato infettivo acuto della dissenteria dovuto a bacilli.

Clistere: in g 500 di acqua bollire per 15 minuti g 15 di bulbilli ben schiacciati. Usare il decotto ricavato, tiepido, per clistere.

Elmintiasi. Malattia derivata dall'attecchimento parassitario nell'uomo, specialmente nell'intestino, di vermi.

Infuso: grattare uno spicchio e metterlo in un bicchiere di acqua calda, lasciar macerare per tutta la notte, quindi filtrare. Aumentare le dosi progressivamente sino a quattro spicchi. *Posologia:* una tazza al mattino a digiuno, una al pomeriggio e una verso le ventidue.

Cura dietetica: tritare alla sera uno o due spicchi con prezzemolo, aggiungervi olio di oliva, e consumare l'impasto spalmato sul pane, il giorno seguente.

Febbre tifoidea. Febbre dovuta a una grave infezione dell'intestino tenue.

Decotto:	in g 250 di latte bollire per 10 minuti g 5 di bulbilli, molto ben schiacciati. *Posologia:* una tazza al mattino e una al pomeriggio.

Gangrena polmonare. È la necrosi di una parte del polmone dovuta per lo più a un difetto circolatorio.

Tintura:	macerare g 25 di bulbilli ben schiacciati in g 100 di alcool a 65° per 12 giorni, quindi filtrare. *Posologia:* da 10 a 15 gocce tre volte al giorno su una zolletta di zucchero o in infuso di polmonaria (in g 250 di acqua bollente mettere in infusione g 10 di foglie ben contuse e lasciar riposare per mezz'ora).

Gastroenterite. Infiammazione congiunta della mucosa dello stomaco (gastrite) e di quella dell'intestino tenue (enterite).

Cura dietetica:	mangiare l'aglio tagliato a fettine con tutti i tipi di verdura e usarlo come condimento in tutti i cibi nei quali è possibile.

Infezioni. Si sviluppano per influenza delle tossine prodotte da alcuni agenti patogeni.

Aceto medicinale:	in g 2.500 di aceto bianco di vino mettere a macerare per 10 giorni g 40 di sommità fiorite di assenzio maggiore, g 40 di rametti

e foglie di rosmarino, g 40 di foglie di salvia, g 40 di foglie di menta, g 40 di ruta intera, g 40 di fiori di lavanda, g 5 di rizoma di calamo aromatico, g 5 di corteccia di cannella, g 5 di chiodi di garofano, g 5 di noce moscata, g 5 di bulbilli di aglio tagliati molto fini, g 10 di canfora; a fine macerazione filtrare.

Posologia: usare come disinfettante sulle escoriazioni e ferite.

Ingrossamento dei gangli linfatici. Infiammazione delle formazioni ghiandolari dette più comunemente linfoghiandole.

Cura esterna: in g 50 di olio di oliva tiepido impastare tre bulbilli ben schiacciati in un mortaio. Con questa pomata massaggiare il punto ingrossato.

Ipertensione. Aumento transitorio o permanente della pressione del sangue nel sistema arterioso, sia di origine aortica che renale.

Infuso: in g 200 di acqua o di latte bollenti mettere in infusione g 20 di aglio ben pestato e lasciar riposare, ben coperto, per 15 minuti.
Posologia: una tazza al mattino a digiuno e una al pomeriggio verso le diciotto.

Tintura: macerare g 120 di aglio secco ben pestato in g 100 di alcool a 95° per 10 giorni, quindi filtrare.
Posologia: da 25 a 30 gocce in due dita di

acqua al mattino a digiuno. Questa terapia deve essere seguita per due mesi.

Tintura: macerare g 300 di aglio pestato in g 200 di alcool a 75° per 8 giorni.

Posologia: un cucchiaino in due dita di acqua dolce prima dei pasti.

Lombaggine. Reumatismo muscolare o mialgia, localizzato ai muscoli delle masse sacro-lombari.

Cura esterna: pestare bene 5 o 6 testine di aglio, strizzarle poi in un panno ricavandone un liquido nel quale intingere una carta assorbente che si metterà sulla parte malata.

Malattie cardiovascolari. Malattie interessanti il complesso degli organi per la circolazione del sangue e della linfa.

Tintura: macerare g 35 di bulbilli ben contusi in g 100 di alcool a 55° per 10 giorni, quindi filtrare.

Posologia: da 15 a 20 gocce due volte al giorno in infuso di cardiaca (in g 300 di acqua bollente mettere in infusione g 15 di cardiaca contusa, e lasciar riposare per 15 minuti).

Il prodotto di cui sopra è un regolatore del ritmo cardiaco, rinforza l'energia di contrazione, porta alla eliminazione di alcuni disturbi soggettivi e fa aumentare le capacità lavorative. Ha pure un'azione anticolesterinica e una vasodilatatoria periferica, e non produce effetti depressivi sull'energia contrattile del miocardio.

Malattie infettive. Malattie dovute alla penetrazione nell'organismo di un microbo patogeno.

Tintura: macerare g 30 di bulbilli ben pestati in g 100 di alcool a 80° per 14 giorni, quindi filtrare. *Posologia:* 20 gocce due volte al giorno in infuso di bacche di ginepro (in g 300 di acqua bollente mettere in infusione g 3 di bacche ben contuse, e lasciar riposare 20 minuti). Questa tintura è particolarmente indicata a scopo preventivo.

Malattie parassitarie. Forme morbose provocate sull'organismo umano da parassiti (tigna, scabbia, pidocchi, ecc.).

Cura esterna: spalmare la parte interessata con g 50 di aglio fresco pestato e addizionato a g 50 di olio di ricino.

Meteorismo. Forte distensione dell'addome per eccessivo sviluppo di gas nello stomaco e nell'intestino.

Cura dietetica: mangiare molto aglio, tagliato a fettine sottili, con verdure crude e come condimento.

Odontalgia. Dolore di denti.

Cura esterna: introdurre nell'orecchio corrispondente alla parte dolorante uno spicchio d'aglio decorticato e avvolto in una garza sottile onde poterlo facilmente estrarre.

Otalgia. Dolore d'orecchio.

*Cura
esterna:*   come sopra.

Pertosse. Affezione specifica delle vie aeree, epidemica e contagiosa, il cui fenomeno più saliente è una tosse accessionale, spasmodica, interrotta da inspirazioni prolungate e rumorose.

*Infuso per
bambini
fino a
1 anno:*   in g 250 di acqua bollente mettere in infusione g 15 di aglio ben pestato e lasciar riposare, coperto, per 10 minuti.
Posologia: 2 o 3 cucchiaini da caffè al giorno in veicolo dolcificato, nel biberon.

*Infuso per
bambini
fino a
5 anni:*   in g 250 di acqua bollente mettere in infusione g 25 di aglio ben pestato e lasciar riposare, coperto, per 10 minuti.
Posologia: da 8 a 10 cucchiaini da caffè al giorno.

Per i bambini che dovessero rifiutare l'infuso, fare un miscuglio di aglio (una parte) e zucchero (2 parti). Oppure somministrare un cucchiaino o due di sciroppo (pestare g 100 di aglio e metterlo in g 150 di acqua fredda, dove si lascia riposare, ben coperto, per 30 ore. Filtrare da un panno spremendo forte. Al ricavato aggiungere g 250 di zucchero che si fa sciogliere a freddo).

*Infuso per
ragazzi
fino a
14 anni:*   in g 250 di acqua bollente mettere in infusione g 40 di aglio ben pestato e lasciar riposare, coperto, per 12 minuti.
Posologia: da 8 a 10 cucchiai al giorno.

Infuso per adulti:	in g 250 di acqua bollente mettere in infusione da 65 a 75 grammi di aglio ben pestato e lasciar riposare, ben coperto, per 15 minuti. *Posologia:* da 8 a 10 cucchiai da minestra al giorno.

Renella. Formazione nel bacinetto di concrezioni grandi quanto i granuli della sabbietta comune, che vengono eliminati per via urinaria.

Infuso:	in g 300 di acqua bollente mettere in infusione g 10 di radici di aglio e lasciar riposare per 15 minuti. *Posologia:* una tazzina al mattino a digiuno e una alla sera, mezz'ora prima di coricarsi.
Decotto:	in g 250 di latte far bollire, per 10 minuti, tre bulbilli ben schiacciati. *Posologia:* una tazza al mattino a digiuno e una alla sera verso le ventidue con un po' di zucchero o miele.

Reumatismi. Malattie (dei muscoli, delle articolazioni e anche dei visceri) che si ritenevano dovute a influenze puramente atmosferiche, mentre molte di queste sono di natura infettiva, anche se oggi sono ancora sconosciuti i microrganismi provocatori.

Cura esterna:	preparare un impasto composto da una parte di aglio pestato nel mortaio e due parti di olio canforato, e usarlo per frizionare la parte o le parti doloranti.

Scabbia. Nota malattia parassitaria della cute caratterizzata da « cunicoli » e da intenso prurito.

Cura esterna: fare una pastetta con succo e argilla e applicarla direttamente sulla parte interessata.

Scottatura. Lesione della pelle o delle mucose dovuta ad agenti termici, chimici, elettrici e radianti.

Cura esterna: unire g 30 di succo a g 30 di olio di oliva o di olio di noce e usare il preparato spalmandolo sulla parte interessata.

Sordità di origine reumatica. Perdita totale o parziale dell'udito.

Cura esterna: introdurre ogni sera nell'orecchio o nelle orecchie un tampone di cotone idrofilo imbevuto in succo.

Stati da enfisema. Gonfiamento dei tessuti per infiltrazione di aria o di gas.

Tintura: macerare g 30 di bulbilli ben pestati in g 100 di alcool a 75°, per 15 giorni.
Posologia: da 20 a 40 gocce, una volta al giorno, su una zolletta di zucchero.

Stitichezza cronica. Ritardo o difficoltà accentuati nell'evacuazione delle feci.

Tintura: macerare g 25 di bulbilli ben pestati in g 100 di alcool a 65°, per 12 giorni.

Posologia: trenta gocce al mattino a digiuno in una tazzina di infuso di sena (in g 200 di acqua bollente mettere in infusione g 5 di foglie ben contuse e lasciar riposare per 18 minuti).

Tabagismo. Intossicazione cronica da tabacco, dovuta in gran parte alla nicotina.

Tintura: macerare g 25 di bulbilli ben pestati in g 100 di alcool a 75°, per 12 giorni, quindi filtrare. *Posologia:* da 15 a 20 gocce, due volte al giorno, in due dita di infuso di fumaria (in g 250 di acqua bollente mettere in infusione g 5 di pianta ben contusa e lasciar riposare per 16 minuti).

Tonsillite. Affezione infiammatoria localizzata alle tonsille che può essere acuta o cronica.

Cura esterna: pestare bene qualche spicchio ed estrarne il succo che verrà addizionato al 50% con acqua; usare l'infuso per gargarismi.

Torcicollo. Posizione viziata del collo, che può dipendere da uno spasmo tonico dei muscoli posteriori del collo.

Cura esterna: pestare qualche spicchio ben maturo ed estrarne il succo nel quale verrà immersa una carta assorbente con cui si farà un'applicazione sulla parte interessata.

Tosse di origine nervosa. Disturbo che ha origine nervosa anziché di riflesso.

Cura
dietetica: mangiare a colazione delle tartine spalmate con aglio grattugiato e burro.

Tubercolosi intestinale e sue complicazioni. Forma meno frequente ma non meno grave di infezione tubercolare.

Tintura: macerare g 25 di bulbi ben pestati in g 100 di alcool a 65° per 15 giorni.
Posologia: da 15 a 20 gocce due volte al giorno in infuso di radice di pazienza (in g 200 di acqua bollente mettere in infusione g 10 di prodotto contuso o, meglio, polverizzato e lasciar riposare per 20 minuti.

Tumoretti superficiali. Piccole escrescenze cutanee.

Cura
esterna: fare sulla parte dei cataplasmi con aglio cotto che è un ottimo maturativo.

Verruche. Tumoretti cutanei più o meno sporgenti, semisferici, lisci o irregolari e rugosi, di colorito di pelle normale o bruno.

Cura
esterna: strofinare diverse volte al giorno con aglio o fare dei cataplasmi con bulbilli ben pestati.

La cipolla

Gli astronomi caldei, mentre scrutavano il cielo stellato di Babilonia dalle terrazze-giardino della bellissima città, assaporavano il profumo emanato dalle cipolle che cuocevano lentamente sulle ardenti braci dei sacri tripodi. Questo vegetale era stato loro donato dai vicini persiani per uso commestibile, ma essi preferivano usarlo nelle occulte arti magiche, di cui erano maestri.

A loro volta i caldei introdussero questo ortaggio solo a scopo alimentare in Egitto, al tempo delle prime dinastie e il popolo egiziano lo tenne in tale considerazione da ritenerlo pianta sacra e tributargli onori riservati solo alle divinità. Ciò è confermato dal fatto che spesso si trova la cipolla raffigurata sulle decorazioni delle loro tombe.

La coltivazione dell'*Allium cepa*, della famiglia delle Gigliacee, si estese poi a tutto il mondo allora conosciuto arrivando così sino ai romani i quali l'hanno tenuta anch'essi in grande conto tanto da consigliarla, come ottimo rimedio, nelle idropisie, sotto forma di diuretico.

L'uso della cipolla come pianta medicinale è attualmente poco conosciuto presso di noi, al contrario di quanto avviene in altri paesi molto progrediti, ove questa liliacea ha un posto ben definito fra i medicamenti ufficiali. Nei paesi dove vengono consumate tante cipolle crude è molto frequente la longevità e sono rari i tumori maligni. Le numerose ricerche di laboratorio hanno confermato le cognizioni empiriche e hanno evidenziato le sue proprietà, sia terapeutiche sia farmacologiche, trovandone e studiandone le componenti principali che sono acido glicolico, composti organici solforati, zuccheri, insulina, fosfati di calcio, sali di soda e di potassio, zolfo, fluoro, enzimi, proteine, pectine, ferro, vitamine B_1, B_2, C e G che nel loro insieme svolgono azione farmacodinamica, antibiotica, battericida, cardiotonica, ipoazotemica, ipoglicemizzante e vasodilatatrice arteriosa, ragione per cui si applica l'uso della cipolla nella cura dell'achilia, albuminuria, ascite, atrofie epatiche, edemi, iperglicemia, ipertrofie spleniche, uricemie, ecc.

La cipolla cruda aumenta fortemente l'acidità del succo gastrico per cui è controindicata ai sofferenti di ipercloridria, mentre è consigliata per aumentare lo stimolo della secrezione biliare perché nella sua composizione chimica sono state anche identificate altre due sostanze: acido caffeico e acido clorogenico che hanno proprietà simili alla cinarina, sostanza contenuta nel carciofo (Cynara scolymus), che ha una spiccata azione come colagogo e coleretico.

Per rendere la cipolla accettabile anche ai palati delicati occorre tagliarla a fettine e farla macerare per qualche ora nell'olio. Lo stomaco che non tollera le cipolle evidentemente è ammalato e deve essere curato.

Achilia. È uno stato morboso in cui lo stomaco fornisce pochissima secrezione di umori digestivi.

Vino medicinale: macerare g 500 di cipolla tritata in g 1000 di vino bianco secco genuino, per 8 giorni.

Filtrare attraverso un panno e nel ricavato sciogliere g 50 di miele.

Posologia: un bicchiere da marsala, mezz'ora dopo ogni pasto principale.

Afonia. Perdita completa della voce cagionata da alterazioni della laringe o da fatto funzionale.

Decotto: in g 250 di latte bollire, per 10 minuti, g 20 di cipolla, quindi colare.

Posologia: un bicchiere al mattino a digiuno e uno alla sera un poco prima di coricarsi. Inoltre, durante il giorno, fare due o tre gargarismi con il medesimo prodotto.

Albuminuria. Emissione di urine contenenti albumina.

Vino medicinale: macerare 2 cipolle tagliate molto sottili in g 1.000 di vino bianco secco genuino, per 6 giorni, quindi filtrare attraverso un panno, strizzando forte.

Posologia: da 100 a 140 grammi al giorno, per una settimana.

Alopecia. Caduta dei capelli o dei peli in genere.

Cura esterna: per alcune settimane frizionare la parte, mattino e sera, con il composto ottenuto macerando g 250 di cipolla ben affettata in g 1.000 di alcool a 80°, per 4 giorni in un luogo caldo. In g 500 di acqua far poi bollire, sino a ridurre il liquido a metà, g 6 di scorza di quercia in piccoli frammenti o meglio in polvere e, a raffreddamento raggiunto, filtrare e unire la tintura precedentemente ottenuta, anch'essa filtrata.

Angina. Infiammazione delle tonsille.

Cura esterna: in un litro di acqua a pieno bollore versare g 100 di cipolla, molto ben tritata, e fare delle inalazioni. Queste inalazioni sono state trovate terapeuticamente più idonee del trattamento penicillinico (Fortunatov M.N.).

Arteriosclerosi. Degenerazione e indurimento delle arterie, che, quando è molto pronunciato e diffuso, produce una malattia generale caratterizzata da disordini circolatori e da alterazioni negli organi.

Cura dietetica: fare larghissimo uso di cipolle crude nell'alimentazione; per i primi tempi, se è il caso, attenuare il sapore forte del vegetale, facendolo macerare per qualche ora nell'olio di oliva: in questo modo diventerà più accettabile per coloro che hanno il palato troppo delicato. La cipolla contiene molto silicio, che ha la prerogativa di rendere le arterie elastiche.

Tintura: macerare g 50 di bulbo fresco ben tritato in g 100 di alcool a 90°, per 10 giorni, quindi filtrare e aggiungere pari peso di miele. *Posologia:* un paio di cucchiaini, due volte al giorno, in infuso di foglie di vischio (in g 300 di acqua bollente mettere in infusione g 10 di prodotto, molto ben sminuzzato, e lasciar riposare, coperto, per 25 minuti).

Articolazione anchilosata. Irrigidimento totale o parziale dei movimenti di un'articolazione.

Cura esterna: impacchi caldi di cipolle cotte sulla parte interessata.

Ascite. Raccolta di liquido prevalentemente od esclusivamente sieroso nella cavità del peritoneo.

Tintura: macerare g 50 di bulbo fresco ben tritato in g 100 di alcool a 90°, per 10 giorni, quindi filtrare e aggiungere pari peso in miele.
Posologia: due o tre cucchiaini, più volte al giorno, in decotto di rizoma di pungitopo (in g 300 di acqua far bollire, per 8 minuti, g 15 di prodotto, molto ben contuso).

Asma. Dispnea accessionale che può dipendere da cause diverse.

Decotto: in g 300 di acqua far bollire, per 10 minuti, g 15 di cipolla molto ben tritata.
Posologia: una tazza al mattino a digiuno e una alla sera, molto ben edulcorata con miele.
Cura dietetica: mangiare cipolle cotte al forno e condite con olio di oliva e zucchero.

Atrofia epatica. Mancanza di nutrizione delle cellule del fegato.

Sciroppo: scaldare a fuoco lento, per circa due ore, rimestando continuamente g 500 di acqua in cui sono stati aggiunti g 400 di cipolla tritata finemente, g 100 di miele di acacia e g 350 di zucchero candito.
Posologia: a cucchiaini, oppure un cucchiaio, tre volte al giorno in infuso di radice di tarassaco (in g 250 di acqua bollente mettere in infusione g 10 di prodotto ben contuso e lasciar riposare, coperto, per 20 minuti, quindi filtrare).

Bronchite. Infiammazione dei bronchi.

Decotto: in g 400 di latte far bollire, per 10 minuti, g 25 di cipolla ben tritata.
Posologia: bere una tazza al mattino a digiuno e una alla sera, 20 minuti prima di coricarsi, sempre ben calde e addizionate con miele, possibilmente di acacia.

Calcoli renali. Concrezioni che si formano in seno ai liquidi renali.

Cura dietetica: prendere da 2 a 4 cucchiai al giorno, agitando prima dell'uso, di g 300 di cipolla cruda ridotta in poltiglia e passata al setaccio, unita a g 100 di miele e a g 600 di vino bianco secco.

Calli. Tessuto neoformato di difesa.

Cura esterna: applicare sulla parte dalla sera alla mattina un batuffolo di cotone idrofilo imbevuto di succo di cipolla cruda e aceto tiepido. Ripetere questa operazione parecchie volte.
Oppure macerare per 10 ore in aceto tiepido della cipolla tritata e usare come sopra.

Cirrosi epatica. Ipertrofia del connettivo interstiziale accompagnatasi con l'atrofia del tessuto parenchimatoso del fegato.

Sciroppo: scaldare a fuoco lento rimestando per circa due ore g 500 di acqua, in cui sono stati aggiunti g 500 di cipolla tritata finemente, g 100 di miele di acacia e g 350 di zucchero candito. Filtrare attraverso un panno a raffreddamento compiuto.
Posologia: da tre a quattro cucchiai al giorno in infuso di radice di ononide spinosa (in g 300 di acqua bollente mettere in infusione g 10 di prodotto ben cotto e lasciar riposare, coperto, per 20 minuti).

Cistite. Infiammazione della mucosa della vescica urinaria.

Vino medicinale: macerare in g 600 di vino bianco secco g 300 di cipolla ben tritata o meglio pestata, per 5 giorni. Filtrare attraverso un panno, strizzando molto bene, quindi aggiungere g 100 di miele d'acacia.

Posologia: da 100 a 140 grammi al giorno, in varie riprese.

Cloruremia. Sovrabbondanza di cloruri, specialmente nelle urine.

Cura dietetica: mangiare sei cipolle al giorno a condizione però che il fegato non sia troppo deteriorato.

Congestione. Aumento di afflusso di sangue arterioso in una parte del corpo o ristagno di sangue venoso.

Cura esterna: strofinare le tempie con mezza cipolla e poi tritarne un chilogrammo abbondante e applicare il ricavato ai piedi per 8 o 10 ore.

Contusioni. Lesioni traumatiche dovute a violenze ottuse non accompagnate da soluzione di continuità della pelle.

Cura esterna: soffregare delicatamente la parte con qualche goccia di succo di cipolla imbevuta in un batuffolo di ovatta.

Diabete. Malattia caratterizzata da un'anomalia del ricambio degli idrati di carbonio di cui una parte non assimilata passa nelle urine sotto forma di glucosio e levulosio.

Tintura: macerare g 50 di cipolle ben tritate in g 100

di alcool a 90°, per 10 giorni, e, dopo aver filtrato, aggiungere pari peso di miele di acacia.

Posologia: uno o due cucchiaini, tre volte al giorno, in un infuso di foglie di mirtillo (in g 300 di acqua bollente mettere in infusione g 10 di prodotto e lasciar riposare, ben coperto, per 25 minuti).

Tramite la glucochinina, secondo vari studiosi, che non sostituisce però l'insulina, il pancreas viene stimolato a riprendere la sua funzione interrotta o rallentata.

Diarrea. Defecazione liquida o quasi liquida e frequente.

Infuso: in g 1.000 di acqua bollente mettere in infusione g 15 di bucce e lasciar riposare per 10 minuti.

Posologia: una tazza al mattino a digiuno, una verso le diciassette e una alla sera verso le ventidue.

Dispepsia. Cattiva digestione che si manifesta quando le sostanze chimiche che compongono il cibo non vengono più scisse.

Infuso: in g 300 di aceto mettere in infusione g 60 di cipolla ben tritata, e lasciar riposare per 24 ore.

Posologia: da 10 a 12 gocce tre volte al giorno in due dita di infuso di cardo santo (in g 300 di acqua bollente mettere in infusione g 5 di prodotto e lasciar riposare per 10 minuti). Questo infuso è consigliato soprattutto dopo un pasto a base di farinacei (lenticchie, fagioli, fave, ceci, ecc.).

Infuso: in g 300 di latte bollente far infondere g 30 di cipolla tagliata molto fine e lasciar riposare, ben coperto, per 25 minuti.

Posologia: una tazzina ogni ora con zucchero e miele.

Tintura: macerare g 60 di bulbo fresco per un'ora in g 200 di alcool. Filtrare e aggiungere una parte uguale di miele di acacia.

Posologia: 10 gocce tre volte al giorno, in due dita di infuso di sommità fiorite di iperico (in g 250 di acqua bollente mettere in infusione g 5 di prodotto e lasciar riposare ben coperto per 20 minuti).

Cura dietetica: in g 250 di latte cuocere per 20 minuti g 25 di cipolla tagliata a fette, filtrare e bere a cucchiai quando occorre.

Dolori al basso ventre. Compaiono in genere prima del flusso mestruale.

Decotto: in g 400 di latte far bollire g 100 di cipolla tagliata a fette per 10 o 12 minuti.

Posologia: una tazza quando occorre e una dopo due o tre ore. Con le fette cotte fare un cataplasma sulla parte.

Edemi. Trasudazione di siero in zone in cui è rallentato il ritorno del sangue venoso.

Decotto:	in g 300 di acqua bollire per 10 minuti g 5 di un miscuglio ottenuto con g 80 di cipolla tritata e g 20 di rosmarino, quindi filtrare. *Posologia:* una tazza al mattino a digiuno e una verso le diciotto.
Tintura:	macerare g 200 di bulbo fresco tritato in g 200 di alcool a 75° per 10 giorni, quindi filtrare. *Posologia:* da 15 a 20 gocce tre volte al giorno in infuso di stimmi di mais (50%) e gambi di ciliege (50%) (in g 250 di acqua bollente mettere in infusione g 10 di miscuglio e lasciar riposare per 10 o 15 minuti).

Elmintiasi. Malattia derivata dall'attecchimento parassitario nell'uomo, specialmente nell'intestino, di vermi.

Cura dietetica per bambini:	cuocere una cipolla di media grandezza ben tritata, per 15 minuti in un quarto di latte, e somministrare a cucchiai distanziati.
Cura dietetica per adulti:	cuocere una cipolla ben tritata in g 400 di acqua zuccherata per 15 minuti, e bere a tazze al mattino e alla sera.

Emicrania. Cefalalgia limitata a una metà della testa.

Cura esterna:	mettere sulla parte interessata un cataplasma di cipolla ben tritata.

Emorroidi. Dilatazione dei vasi del retto da cui sovente provengono delle emorragie.

Cura esterna:	cuocere una cipolla pestata con olio e burro. Usare per impacco freddo.

Epistassi. Emorragia dalle narici.

Cura esterna:	fiutare una cipolla appena tagliata, aspirandone il succo.

Eritremia. Stato abnorme del sangue in cui l'aumento dei globuli rossi è fatto primario.

Cura dietetica:	l'alimentazione prolungata di bulbo, secondo vari studiosi, sembra porti notevoli modificazioni ematologiche, tanto da venire consigliata nella cura dell'eritremia.

Flemmoni e foruncoli. Flemmone è l'infiammazione acuta suppurativa del tessuto connettivale, foruncolo è l'infiammazione purulenta dell'apparato pilo-sebaceo della pelle.

Cura esterna:	fare impacchi di cipolla cotta sulla parte interessata, per favorire l'uscita del pus.

Geloni. Disfunzione vasomotoria di cui non sono ancora ben precise le cause.

Cura esterna:	fare impacchi freddi sulla parte con succo di cipolla salato. Oppure preparare un unguento facendo cuocere nel grasso di pollo del succo di cipolla con il quale si ungono le parti colpite.

Gotta. Disturbo cronico della nutrizione in cui, sotto l'influenza dell'acido urico in eccesso nel sangue e nei tessuti, si determinano delle localizzazioni dolorose e per lo più accessionali nelle articolazioni.

Tintura: macerare g 50 di bulbo ben pestato in g 100 di alcool a 90°, per 10 giorni, quindi filtrare e aggiungere pari peso di miele di acacia.
Posologia: un paio di cucchiaini, tre volte al giorno, in decotto di pianta intera di ortica (in g 300 di acqua far bollire, per 12 minuti, g 15 di prodotto, molto ben contuso, e lasciar riposare, coperto, altri 20 minuti).

Infezioni intestinali acute. Processo morboso dovuto alla penetrazione e sviluppo di un agente morfigeno organizzato (microrganismi patogeni).

Tintura: unire a g 90 di bulbo ben pestato g 90 di alcool a 90°. Lasciar riposare per un'ora e usare il composto, dopo aver ben agitato.
Posologia: un cucchiaino, tre volte al giorno in una tazzina di infuso di radice di salcerella (in g 300 di acqua bollente mettere in infusione g 10 di prodotto, molto ben contuso e lasciar riposare per 25 minuti).

Influenza. Malattia epidemica infettiva che si manifesta con febbre associata a eventuali complicazioni viscerali.

Infuso: in g 500 di acqua tiepida macerare due grosse cipolle tagliate molto sottili, per due ore.

Posologia: un bicchiere fra i pasti e uno prima di coricarsi. La cura deve essere fatta per una settimana, e a scopo preventivo.

Tintura: macerare g 60 di bulbi tritati in g 100 di alcool a 80°, per 10 giorni, quindi filtrare e aggiungere pari peso di miele di acacia.

Posologia: un cucchiaino o due, per tre volte al giorno in una tazzina di infuso di foglie di eucalipto (in g 250 di acqua bollente mettere in infusione g 5 di foglie adulte di eucalipto, ben sminuzzate, e lasciar riposare, coperto, per 20 minuti).

Iperglobulia. Produzione di globuli rossi superiore alla norma.

Cura dietetica: mangiare da 8 a 10 cipolle crude ogni giorno.

Ipertrofie spleniche. Sviluppo eccessivo anormale della milza, dovuto a un aumento di volume delle cellule che la costituiscono.

Tintura: macerare g 60 di bulbi ben pestati in g 100 di alcool a 80° per 10 giorni, quindi filtrare. Aggiungere al ricavato pari peso di miele di acacia.

Posologia: un cucchiaio da dessert due volte al giorno in una tazzina d'infuso di foglie di frassino (in g 250 di acqua bollente mettere in infusione g 10 di prodotto e lasciar riposare, ben coperto, per 25 minuti).

Ipocloridria. Diminuzione dell'acido cloridrico contenuto nel succo gastrico.

Tintura: macerare per 10 ore in g 150 di alcool a 85° g 100 di cipolla ben pestata e poi, dopo averla filtrata attraverso un panno ben strizzato, aggiungere pari peso di miele di acacia.
Posologia: un cucchiaio da dessert mezz'ora dopo ogni pasto, in una tazzina contenente sommità fiorite di veronica maggiore (in g 200 di acqua bollente mettere in infusione g 15 di prodotto, ben sminuzzato, e lasciar riposare, coperto, per 18 minuti).

Morbo di Basedow. È una forma di ipertiroidismo i cui sintomi principali sono l'esoftalmo (sporgenza anormale del globo oculare dalle orbite) e la presenza di un gozzo.

Tintura: macerare g 50 di bulbo ben pestato in g 120 di alcool a 75° per 12 giorni, quindi filtrare e aggiungere pari peso di miele.
Posologia: un cucchiaio da dessert tre volte al giorno in una tazzina di decotto di scorza di quercia (in g 250 di acqua bollire per 8 minuti g 10 di prodotto ben contuso o meglio polverizzato).

Nefrite. Infiammazione dei reni.

Vino medicinale: macerare il bulbo ben tritato di due cipolle medie in g 1.000 di vino bianco secco per 6 giorni, quindi filtrare attraverso un telo.
Posologia: da g 60 a g 80 al giorno per una settimana.

Obesità. Accumulo di grasso in tutto l'organismo in proporzioni molto superiori alle normali e quindi derivante da un'alterazione del ricambio.

Cura dietetica:	mangiare molte cipolle crude con tutti i tipi di insalate e come contorno a tutti i piatti. I principi attivi delle cipolle sono indicatissimi a far sciogliere il grasso superfluo e aiutano il ricambio generale alterato che è responsabile del malanno.

Oliguria o anuria. Mancato svuotamento, parziale o totale, della vescica urinaria dovuta a cause varie.

Cura esterna per bambini:	applicare sul basso ventre una cipolla arrostita, ben tritata. Lasciare il cataplasma sulla parte un paio d'ore.
Vino	mescolare g 100 di succo di cipolla fresca con g 100 di vino bianco secco genuino. *Posologia:* un bicchiere da marsala al mattino a digiuno e uno alla sera un poco prima di coricarsi.
Cura esterna:	applicare sul basso ventre un cataplasma fatto con un chilogrammo di cipolle cotte.

Otite reumatica. Infiammazione dell'orecchio dovuta a cause dipendenti da malattie reumatiche.

Cura esterna:	introdurre nel meato uditivo due o tre gocce di un poco di succo di cipolla mescolato con olio di mandorle o di oliva caldo.

Patereccio. Infiammazione delle parti molli delle dita.

Cura
esterna: sulla parte interessata fare impacchi caldi di cipolla cotta.

Pericardite. Infiammazione della sierosa avvolgente il cuore con formazione di essudato solido, fibrinoso, oppure liquido, sieroso, purulento.

Tintura: macerare g 60 di bulbo fresco ben pestato in g 100 di alcool a 80° per 10 giorni, quindi filtrare e aggiungere pari peso di miele di acacia.
Posologia: un cucchiaio tre volte al giorno in una tazzina di infuso di pianta fiorita di cardiaca (in g 300 di acqua bollente mettere in infusione g 10 di prodotto ben contuso e lasciar riposare per 20 minuti).

Pletora. Eccesso di umori e di sangue.

Cura
dietetica: una dieta ricchissima di cipolle crude condite con sale grosso tritato e con pane di segale.

Prostata ipertrofica. Ingrossamento della prostata.

Tintura: a g 40 di succo di bulbi freschi di cipolla ben pestata unire g 120 di alcool a 80° e agitare bene il tutto.

Posologia: un cucchiaio da tavola in acqua zuccherata prima dei pasti principali, per 10 giorni al mese. Secondo alcuni sperimentatori questa cura avrebbe la facoltà di aumentare la secrezione prostatica con un consecutivo svuotamento della ghiandola, la quale verrebbe così a diminuire di volume. Ma questa terapia deve essere associata a quella dei sali di magnesio, ragione per cui si consiglia di intraprenderla soltanto sotto la direzione del medico.

Punture di api e di ragni. Infiammazioni cutanee dovute agli specifici insetti.

Cura esterna: per le punture di api frizionare la parte con gambo verde di cipolla, per quelle di ragni frizionare con il bulbo.

Renella. Formazione nel bacinetto di concrezioni grandi quanto i granuli della sabbietta comune, che vengono eliminati per via urinaria.

Tintura: macerare g 80 di cipolla ben tritata in g 100 di alcool a 80°, per 10 giorni.
Posologia: da 10 a 15 gocce al giorno, per tre volte, in un infuso di cauli sterili di equiseto (in g 300 di acqua bollente mettere in infusione g 10 di prodotto e lasciar riposare, ben coperto, per 25 minuti).

Vino	macerare in g 1.000 di vino bianco secco ge-
medicinale:	nuino g 500 di cipolla ben tritata, per 8 gior-
	ni, quindi passare attraverso un panno, striz-
	zando a fondo; aggiungere poi g 100 di mie-
	le di acacia.
	Posologia: sei cucchiai al giorno.

Reumatismi. Malattie (dei muscoli, delle articolazioni e anche dei visceri) che si ritenevano dovute a influenze puramente atmosferiche, mentre molte di queste sono di natura infettiva, anche se oggi non si conoscono ancora i microrganismi provocatori.

Decotto:	bollire in g 1.000 di acqua, per 15 minuti, tre
	cipolle non sbucciate, ma molto ben tritate.
	Posologia: una tazza al mattino a digiuno e
	una alla sera, mezz'ora prima di coricarsi.
Tintura:	macerare g 90 di cipolla, molto ben tritata, in
	g 100 di alcool a 90° per 10 ore.
	Posologia: 10-15 gocce in due dita d'acqua,
	tre volte al giorno.

Rinite catarrale. Infiammazione della mucosa nasale più conosciuta come raffreddore.

Decotto:	far bollire per 10 minuti in g 250 di latte g 40
	di bulbo tagliato molto fine. Aggiungere g 60
	di miele di acacia.
	Posologia: bere alla sera, un poco prima di
	coricarsi. Occorre avere l'avvertenza di co-
	prirsi accuratamente, per evitare il freddo.

Sciroppo: in un litro di acqua far bollire, per 3 ore, g 1.000 di cipolle tritate, g 300 di miele e g 750 di zucchero, quindi colare il tutto.
Posologia: due cucchiaini al giorno, per tre volte, in decotto di foglie e fiori di caprifoglio (in g 300 di acqua far bollire, per 8 minuti, g 10 di prodotto ben sminuzzato, quindi filtrare).

Scottatura. Lesione della pelle o delle mucose provocata da agenti termici, chimici, elettrici e radianti.

Cura esterna: sulla parte interessata applicare cipolla pestata addizionata a sale.

Stitichezza. Difficoltà a defecare.

Decotto: bollire una cipolla affettata, per 10 o 15 minuti in g 350 di acqua zuccherata, quindi filtrare.
Posologia: una tazza al mattino a digiuno e una alla sera, mezz'ora prima di coricarsi.

Cura dietetica: cipolla cotta al forno o sotto la brace, da consumare come contorno durante i pasti.

Tosse. Espirazione violenta a glottide chiusa.

Cura dietetica: cuocere una cipolla al forno, stemperarla in acqua calda zuccherata o in un infuso di edera terrestre (in g 300 di acqua bollente mettere in infusione g 10 di pianta ben tritata e lasciar riposare, coperto, per 20 minuti), e prenderne una tazza al mattino a digiuno, una verso le diciassette o diciotto e una alla sera, 20 minuti prima di coricarsi, sempre tiepide e con aggiunta di miele.

Trombosi alle coronarie. La cipolla è validissima per combattere questa malattia che causa tante vittime nella società moderna. In essa vi è un potente anticoagulante e una componente che attiva il processo fibrinolitico. Oltre alle cipolle crude, si consiglia pure la tintura della quale sarà bene far uso saltuariamente, con molte precauzioni, 10 o 12 giorni al mese, specialmente nel caso di soggetti pletorici, nervosi, fumatori e accaniti lavoratori.

Tintura: in g 100 di alcool a 90° mettere a macerare, per 24 ore, g 90 di cipolla fresca ben tritata. Filtrare attraverso un telo, strizzando bene. *Posologia:* un cucchiaino, tre volte al giorno, in un infuso di frutti di ammi visnaga, possibilmente polverizzati (in g 300 di acqua bollente far infondere g 10 di prodotto e lasciar riposare per mezz'ora); oppure in un infuso di fiori di biancospino (in g 250 di acqua bollente mettere in infusione g 10 di prodotto e lasciar riposare per 15 minuti).

Tubercolosi. Infezione dovuta al bacillo di Koch. La cipolla, per la sua azione disinfettante e antimicrobica, è consigliatissima in questo caso, specialmente cruda.

Tumori induriti da maturare. Escrescenze cutanee di consistenza dura.

Cura esterna: porre sulla parte interessata cataplasmi di cipolle cotte ancora tiepide e rinnovarli ogni mezz'ora.

Tumori maligni. Secondo recenti studi si sono trovate nel bulbo della cipolla delle emanazioni che appartengono al gruppo delle radioviolette, tanto che con esse è possibile sensibilizzare lastre fotografiche. Questo fa pensare alla curiosa constatazione che è stata fatta da non molto tempo: nei luoghi in cui vengono consumate molte cipolle crude è molto frequente la longevità e sono molto rari i tumori maligni.

Uremia. Accumulo nel sangue di urea (prodotto di trasformazione delle sostanze proteiche contenute nell'urina), e in genere degli altri componenti dell'urina, quando per alterazione dei reni non si ha la regolare eliminazione.

Cura dietetica: una cipolla tritata finemente e presa in latte o brodo caldissimi; oppure spalmata su una fetta di pane imburrato o unto con olio vergine, nella dose giornaliera di tre o quattro cucchiaini da caffè.
Si raccomanda inoltre di consumare molta cipolla cruda come contorno di altri cibi. Un ottimo rimedio, per coloro che non sopportano il sapore forte di questo vegetale, è di lavarlo ripetutamente in acqua corrente.

Uricemia. Accumulo di acidi urici nel sangue dei gottosi.

Cura
dietetica: tre zuppe di latte al giorno (ben zuccherate) e una grossa cipolla cotta. La cura deve durare per un mese.

CONSIGLI COSMETICI

Capelli. Cura per rendere i capelli folti e setosi.

Cura
dietetica: mangiare molte cipolle in insalata, unitamente a qualche fettina di aglio e sedano tagliato fine.

Cura
esterna: macerare in g 800 di alcool a 70° per 5 giorni g 250 di cipolle ben tagliuzzate, tenendo il recipiente in luogo caldo. Filtrare e usare per frizionare la testa il mattino e la sera, prima di coricarsi.

Macchie rosse sul viso. Eruzioni cutanee dovute generalmente a cattiva digestione o ad allergie.

Cura
esterna: frizionare la parte con cipolla minutamente tagliata o meglio pestata, tenuta prima a bagno nell'aceto per una ventina di minuti.

Mani. Rimedio per rendere belle e vellutate le mani.

Cura esterna:	preparare una pomata con g 100 di succo di cipolla fatta cuocere per 20 minuti in grasso di pollo, avendo l'avvertenza di tenere sempre coperto il recipiente. Dopo aver unto le mani con la pomata, bendarle e calzarle in guanti di lana, per far penetrare il medicamento a fondo nella cute.

Occhi. Cura per evitare il gonfiore degli occhi.

Cura esterna:	far cuocere in g 250 di acqua e g 250 di vino bianco secco, per 10 minuti, g 50 di bulbo fresco ben pestato e g 50 di rosmarino contuso. Filtrare quando l'infuso è tiepido e lavare con questo gli occhi quattro o cinque volte al giorno.

L'arancia

Durante l'inverno, quando la natura sembra morta, arriva sulle nostre tavole, dalle terre ricche e baciate dal sole, un frutto meraviglioso dal colore scintillante e dal sapore dolce e leggermente acidulo: l'arancia.

Questo frutto preziosissimo ci fornisce anche d'inverno le vitamine, i sali e gli zuccheri indispensabili al nostro organismo, specialmente nel periodo in cui le verdure sono più scarse.

Dal colore arancione dorato, dall'aroma piacevole, dal fresco gusto acidulo, le arance non posseggono solamente meravigliose qualità gustative. Grazie alle loro specifiche caratteristiche sono da considerarsi anche medicinali. Nelle arance gli zuccheri quali il fruttosio ed il glucosio, sono predominanti. È arcinoto che il fruttosio e il glucosio contenuti nella frutta e nelle bacche sono le migliori forme di zuccheri nell'alimentazione delle persone anziane. Dati clinici dimostrano che questi zuccheri hanno benefici effetti nelle funzioni intestinali, eliminano i microbi dannosi, preservando dall'obesità.

Nelle arance abbonda la cellulosa che è una sostanza utilissima per contribuire alla regolarità delle funzioni digestive e alla riduzione dei processi di putrefazione intestinale. Anche le sostanze pectiche, associate alla cellulosa, diminuiscono la formazione dei gas e l'assorbimento di sostanze dannose.

La pectina, grazie alle sue proprietà di trasformarsi in gelatina, con aggiunta di acqua, acido e zucchero, si usa largamente nell'industria dolciaria.

Le arance contengono anche delle sostanze lipotrope (dotate della proprietà di prevenire o di fare regredire, l'esagerato o patologico accumulo di grasso nel fegato), tanto necessarie all'organismo umano, com'è la inosite, regolatrice, appunto, del metabolismo dei grassi e del colesterolo.

L'utilità delle arance è anche confermata dalle alte dosi di vitamina C e P che rafforzano i vasi sanguigni, elevandone l'elasticità.

Il *Citrus auratium* contiene anche degli acidi organici, in particolare l'acido citrico, necessario all'organismo perché partecipa ad importanti processi chimici.

All'acido citrico si attribuisce un'azione lievemente antisettica e astringente. Le arance dolci in particolare, per il loro buon quantitativo di zuccheri presente soprattutto nei frutti maturi, sono ottimi energetici e apportatrici di un discreto numero di calorie pronte ad essere consumate dal nostro organismo, senza essere di digestione difficile. Per questa azione sono indicate specialmente sotto forma di succhi per gli sportivi, i quali oltre a ricavarne un alimento energetico, grazie all'acqua e ai sali minerali che contengono, possono in breve riportare alla normalità l'equilibrio idricosalino alterato dalle abbondanti sudorazioni cui vanno incontro.

In linea di massima i succhi di agrumi sono indicati in qualsiasi età e stato fisiologico, salvo rarissimi casi di intolleranza digestiva.

L'arancia, nel suo complesso, oltre ad aumentare la vitalità delle cellule, ha pure la proprietà di attivare il metabolismo generale e tutte le funzioni dell'organismo. È una preziosa fonte di energia e un insostituibile fattore di ringiovanimento generale. È ricca inoltre di magnesio che unitamente al fosforo, al calcio e al potassio, rigenera le fibre nervose ed è un agente molto attivo contro tutte le malattie.

ARANCIA DOLCE

Anoressia. Mancanza di appetito.

Tintura: macerare g 30 di scorza secca in g 100 di alcool a 80° per 10 giorni e quindi filtrare.
Posologia: da 20 a 40 gocce, in due dita di acqua o su zolletta di zucchero, prima dei pasti principali.

Arteriosclerosi. Degenerazione e indurimento delle arterie che quando è molto pronunciato e diffuso produce una malattia generale caratterizzata da disordini circolatori e da alterazioni degli organi.

Cura dietetica: bere una grossa tazza al mattino a digiuno di succo di un'arancia e un limone addizionato con acqua minerale alcalina al 50% e con un po' di zucchero o miele.

Convalescenza. Periodo intermedio fra la malattia e la guarigione, in cui l'organismo ripara alle perdite subite e ripristina la funzione normale di tutti gli organi.

Infuso:	in g 500 di acqua bollente mettere in infusione g 30 di foglie di betulla, lasciar riposare per 20 minuti e poi colare aggiungendo il succo di due arance e due cucchiai di miele, possibilmente di acacia, oppure abbondante zucchero.
	Posologia: si beve durante il giorno, anche ai pasti.
Tintura:	mettere a macerare in g 200 di alcool a 95° g 30 di buccia tritata per tre giorni e quindi filtrare.
	Posologia: un cucchiaino, leggermente diluito in acqua alcalina, prima dei pasti, oppure da 25 a 30 gocce, su zolletta di zucchero, sempre prima dei pasti.

Crescita dei bambini. La vitamina A contenuta nell'arancia è ottima per aiutare la crescita infantile.

Cura dietetica:	il succo di un frutto subito dopo il pasto di mezzogiorno. Riguardo ai bambini dobbiamo necessariamente consigliare alle mamme che allevano i loro figli con latte in polvere, latte concentrato ecc., di somministrare ai lattanti, se non esistono precise controindicazioni, da uno a due cucchiaini al giorno di succo fresco di arancia.

Diabete. Malattia dovuta a insufficiente funzione del pancreas. La grande varietà di frutta che offre l'Italia consente per la tavola dei diabetici una vastissima scelta. Specialmente dalle regioni meridionali abbiamo l'arancia che costituisce per molti mesi dell'anno la frutta quotidiana.

Cura dietetica: il succo di arancia può servire egregiamente come condimento di una macedonia di ananas e fragole di bosco molto fresche, con un accumulo di idrati di carbonio quasi trascurabile.

Dispepsia ipocloridrica. Digestione difficile dovuta a insufficienza secretoria.

Cura dietetica: il succo di due arance e due limoni si addiziona, al 50%, con acqua minerale, senza aggiunta di qualsiasi sostanza addolcente (che sarebbe controproducente perché gli zuccheri neutralizzano i succhi gastrici), e si prende una tazza al mattino a digiuno, e una dopo i pasti principali. Questi prodotti assunti a scopo medicinale devono essere presi molto lentamente, cioè a piccoli sorsi, per dare tempo allo stomaco di assimilarli completamente.

Fegato grasso. Degenerazione grassa del fegato, che si riscontra in alcune malattie del ricambio.

Cura dietetica:	si prende il succo di due arance e di un limone al mattino a digiuno, senza l'aggiunta di prodotti dolcificanti dando modo alle sostanze lipotrope, contenute nei frutti, di prevenire o fare regredire l'esagerato accumulo di grassi in questo importante organo. Queste sostanze lipotrope sono indispensabili al corpo umano per regolare il metabolismo dei grassi e del colesterolo.

Gengivorragia. Emorragia di origine gengivale.

Cura esterna:	usare il succo come collutorio. Questa operazione deve essere fatta molto lentamente e il prodotto deve essere tenuto in bocca (sciacquando), il più a lungo possibile. Non deve però essere inghiottito essendo carico di microrganismi che potrebbero dare poi seri disturbi intestinali.

Gotta. Disturbo cronico della nutrizione in cui, sotto l'influenza dell'acido urico in eccesso nel sangue e nei tessuti, si determinano delle localizzazioni dolorose e per lo più accessionali nelle articolazioni, con complicazioni negli organi interni.

Cura dietetica:	bere il succo di due grosse arance non troppo mature (così saranno più ricche di vitamina C), al mattino a digiuno e verso le ore 10. Questa terapia è vantaggiosa contro

tutte le malattie del ricambio, per i sali e l'acqua metabolica contenuti in questo meraviglioso prodotto della natura.

Insonnia. Incapacità di dormire o sonno continuamente agitato o interrotto.

Infuso: in g 200 di acqua bollente si mettono in infusione g 10 di fiori secchi di arancio, e si lascia riposare, ben coperto, per una decina di minuti, quindi si filtra e si aggiunge un cucchiaino di miele di acacia.

Posologia: una piccola tazzina verso le ore 18 e una tazza alla sera, dieci minuti prima di coricarsi.

Involuzione. Fenomeno fisiologico della senilità, che si verifica con un lento e graduale processo di rallentamento dei fenomeni vitali degli organi e dei tessuti.

Cura dietetica: si prende nella mattinata, addizionato con un pochino di miele di acacia, il succo di quattro o cinque grosse arance, molto lentamente e a piccoli sorsi, in modo che venga completamente assimilato.
Il succo del frutto imbriglia la pericolosa acidità del sangue che è una delle cause principali di un precoce invecchiamento. Anche facendone larghissimo uso non si va incontro ad alcun pericolo di sorta perché l'arancia ha una ridotta percentuale di idrati di

carbonio, di proteine e di grassi, per cui non c'è pericolo di una sovralimentazione di alcun genere.

Ipertensione. Aumento transitorio o permanente della pressione del sangue nel sistema arterioso.

Cura dietetica: mangiare da mezza a un'arancia al mattino a digiuno e due ore prima dei pasti principali. Oltre a procurare un migliore appetito e a facilitare la digestione, questo modo di assunzione del frutto ha la prerogativa di abbassare la pressione arteriosa, fatto dovuto probabilmente al suo contenuto di potassio.

Nervoso da dispepsia. Nervosismo dovuto a distonie neuro vegetative della sfera digestiva.

Infuso: in g 250 di acqua bollente mettere in infusione g 15 di miscuglio formato con g 50 di foglie di arancio, g 25 di foglie di lattuga e fiori di tiglio. Lasciare riposare per 20 minuti e quindi filtrare.
Posologia: una tazzina dopo i pasti principali.

Obesità. Accumulo di grasso in tutto l'organismo in proporzioni molto superiori alle normali e quindi derivate da un'alterazione del ricambio.

Cura dietetica:	bere una tazza al mattino a digiuno, una verso le ore 18 e una appena dopo la cena, di succo di una grossa arancia e di un limone.

Reumatismo cronico. Malattie (dei muscoli, delle articolazioni e anche dei visceri), che si ritenevano dovute a influenze puramente atmosferiche. Invece molte di queste affezioni sono di natura infettiva, anche se ancor oggi sono ignoti i microrganismi provocatori.

Cura dietetica:	uno o due frutti da prendersi al mattino a digiuno, appena alzati.

Stitichezza da atonia. Difficoltà di defecazione dovuta a mancanza di tensione, rilasciamento dei muscoli e in generale diminuita eccitabilità e funzionalità di essi.

Cura dietetica:	in acqua fresca si fa bollire per mezz'ora una buona quantità di buccia di arancia e si getta quindi l'acqua di cottura essendo molto sgradevole. Si fa poi bollire la buccia, ancora per mezz'ora, in acqua zuccherata al 2% e si pone ad asciugare su un piatto. Quando sarà completamente asciutta si potrà mangiare, sia al mattino a digiuno che tre ore dopo il pasto della sera. Questo prodotto ha la prerogativa di fare defluire molto bene la bile, procurando così il benefico effetto desiderato.

Tossicosi. Malattia dovuta a intossicazione endogena.

Cura dietetica: si prende al mattino a digiuno, appena alzati, lentamente a piccoli sorsi, il succo di due grosse arance, specialmente a fine inverno e verso i primi giorni di primavera.
Durante l'inverno l'organismo va incontro ad una tossicosi alimentare dovuta all'introduzione di alimenti conservati e alla mancanza di frutta fresca, tossicosi che viene combattuta dalla famosa acqua biologica contenuta nel frutto in questione.

Uricemia. Termine che viene comunemente impiegato per indicare l'aumento patologico della concentrazione di acido urico nel sangue.

Cura dietetica: due o tre arance, non troppo mature: mangiarle al mattino a digiuno e un'ora prima dei pasti principali.

ARANCIA AMARA

Anemia. Condizione morbosa del sangue caratterizzata da una diminuzione del numero dei globuli rossi o della quantità di emoglobina.

Infuso: in g 300 di acqua bollente mettere in infusione g 10 di prodotto, molto ben contuso, e lasciare riposare per 20 minuti, quindi filtrare. *Posologia:* una tazza al mattino a digiuno, una verso le ore 17 e una alla sera un'ora prima di coricarsi.

Cefalea da dispepsia. Mal di capo dovuto a una digestione lenta e difficile.

Infuso: in g 300 di acqua bollente mettere in infusione g 15 di miscuglio (g 40 di foglie di arancio amaro, g 35 di fiori di tiglio, g 25 di capolini di camomilla), e lasciare riposare, ben coperto, per 10 o 15 minuti, quindi filtrare. *Posologia:* una tazza quando occorre.

Clorosi. Forma di anemia che prende le giovinette all'epoca della pubertà.

Tintura: far macerare in g 100 di alcool a 75°, g 45 di scorza per 10 giorni e poi filtrare. *Posologia:* un cucchiaino, prima dei pasti.

Sciroppo: tintura di arance amare g 60 si unisce a g 940 di sciroppo semplice. *Posologia:* tre, quattro cucchiai al giorno, lontano dai pasti.

Convalescenza. Periodo intermedio fra la malattia e la guarigione in cui l'organismo ripara alle perdite subite e ripristina la funzione normale di tutti gli organi.

Vino medicinale: far macerare g 80 di scorza tritata in g 1.000 di vino rosso genuino (possibilmente barbera secco), per 8 giorni, quindi filtrare.
Posologia: tre bicchierini al giorno, da prendersi un poco prima dei pasti.

Dispepsia. Cattiva digestione che si manifesta quando le sostanze chimiche che compongono il cibo non vengono più scisse.

Infuso: in g 200 di acqua bollente mettere in infusione g 15 di scorza, tritata molto finemente, e lasciare riposare per 5 o 8 minuti, quindi filtrare.
Posologia: una tazzina un quarto d'ora dopo i pasti principali.

Distonie del neurovegetativo. Alterazione del tono neurovegetativo. Rottura dell'equilibrio tra il sistema simpatico e quello parasimpatico.

Infuso: in g 250 di acqua bollente mettere in infusione g 10 di miscuglio, (g 50 di scorza di arancio, g 50 di foglie), e lasciar riposare, ben coperto, per 15 minuti, quindi filtrare.
Posologia: una tazzina al mattino a digiuno, una verso le ore 18 e una alla sera, mezz'ora prima di coricarsi.

Febbre biliare. Alterazione della temperatura dovuta a infiammazione della cistifellea.

Infuso: in g 300 di acqua bollente mettere in infusione g 10 di miscuglio (scorza di arancio g 60, foglie di arancio g 40), e lasciar riposare ben coperto per 20 minuti, quindi filtrare.
Posologia: una tazzina al mattino a digiuno, una verso le ore 17 e una verso le ore 21.

Insonnia nervosa. Incapacità di dormire o sonno continuamente agitato e interrotto, di origine nervosa.

Infuso: in g 250 di acqua bollente mettere in infusione g 10 di miscuglio (fiori di arancio g 80, fiori di tiglio g 20), lasciar riposare per 20 minuti, quindi filtrare.
Posologia: una tazza alla sera mezz'ora prima di coricarsi, addizionata con una fettina di limone e un cucchiaino di miele.

Ipercloridria. Aumento della secrezione di acido cloridrico da parte delle ghiandole della mucosa gastrica.

Infuso: in g 250 di acqua bollente mettere in infusione g 10 di miscuglio (scorza di arancio g 80, foglie di arancio g 20), lasciar riposare ben coperto, per 20 minuti, quindi filtrare.
Posologia: una tazzina, due ore dopo i pasti principali.

Iperemesi gravidica. Vomito frequente, prolungato e in-

coercibile che talvolta insorge nelle donne gestanti durante i primi mesi di gravidanza.

Infuso: in g 250 di acqua bollente mettere in infu-
             sione g 5 di miscuglio (foglie di arancio g 30,
             fiori di tiglio g 30, fiori di camomilla g 30, fio-
             ri di passiflora g 10), lasciar riposare coper-
             to, per 15 minuti, quindi filtrare.
             Posologia: una tazzina appena dopo i pasti,
             tiepida e a piccoli sorsi con un po' di miele,
             possibilmente d'acacia.

Isterismo. Forma di psiconevrosi che determina anomalie
del carattere e del comportamento e disturbi funzionali
al sistema nervoso.

Infuso: in g 300 di acqua bollente mettere in infu-
             sione g 15 di miscuglio (foglie di arancio
             g 40, fiori di arancio g 30, fiori di tiglio g 30),
             lasciar riposare ben coperto, per 25 minuti,
             quindi filtrare.
             Posologia: una tazza all'occorrenza, una al
             mattino a digiuno, una verso le ore 18 e una
             alla sera, mezz'ora prima di coricarsi addi-
             zionate con una fettina di limone e un cuc-
             chiaino di miele, possibilmente di acacia.

Lentigginosi. Affezione cutanea caratterizzata dalla diffusione di lentiggini in tutto o quasi tutto il corpo.

Cura
esterna: fare sciogliere bene (g 100 di succo con g 15 di sale da cucina), e usare il prodotto per frizionare la parte interessata.

Malesseri generali. Stato nel quale senza essere affetti da malattie specifiche si provano vari disturbi generali.

Infuso: In g 1.000 di acqua bollente far infondere g 5 di foglie di arancio amaro, g 5 di foglie di arancio dolce, e lasciar riposare ben coperto, per 20 minuti. Colare e aggiungere il succo di un limone e due cucchiai di miele di acacia.
Posologia: si beve tutto nella giornata, a piccoli bicchierini ben distanziati.

Nevralgie. Dolori acuti dovuti a uno stato di irritazione di un nervo sensitivo, senza che a carico dello stesso si possano accertare alterazioni anatomiche.

Infuso: in g 200 di acqua bollente mettere in infusione g 5 di miscuglio (g 70 di scorza, g 30 di foglie), lasciar riposare per 15 minuti, quindi filtrare.
Posologia: una tazza al mattino a digiuno, una verso le ore 10, una alle 18 e una prima di coricarsi.

Tachicardia. Acceleramento dei battiti cardiaci che può anche rappresentare un fenomeno fisiologico, se si manifesta nelle persone sane, dopo una corsa, un'ascensione in montagna o comunque uno sforzo di una certa entità.

Infuso: in g 250 di acqua bollente mettere in infusione g 10 di miscuglio (g 80 di fiori d'arancio, g 20 di fiori di biancospino), lasciar riposare per 10 minuti, quindi filtrare.
Posologia: una tazza all'occorrenza.

Tachicardia parossistica. Forma particolare di tachicardia che si manifesta come crisi, in modo accessionale.

Infuso: in g 200 di acqua bollente mettere in infusione g 10 di miscuglio (g 50 di fiori di arancio amaro, g 40 di fiori di biancospino, g 10 di foglie di melissa); lasciar riposare ben coperto per 15 minuti, quindi filtrare.
Posologia: una tazzina all'occorrenza a piccoli sorsi. Come preventivo: una tazzina al mattino a digiuno, una verso le ore 18 e una verso le ore 22.

Tosse nervosa degli adulti e dei bambini. Disturbo che non rappresenta un fenomeno riflesso ma ha un'origine nervosa centrale.

Infuso: in g 200 di acqua bollente mettere in infusione g 5 di miscuglio (g 50 di foglie di arancio amaro, g 50 di foglie di arancio dolce), lasciar riposare per 10 minuti, quindi filtrare. Aggiungere un cucchiaino di miele di acacia.
Posologia: adulti: a cucchiai quando occorre. Bambini: a cucchiaini ogni mezz'ora.

ACHILIA • cipolla (50)
ACIDITÀ DI STOMACO • limone (9)
ACNE • limone (9)
AFFEZIONI EPATICHE • limone (9)
AFONIA • cipolla (51)
AFTA • limone (10)
ALBUMINURIA • cipolla (51)
ALITOSI • limone (10)
ALOPECIA • aglio (34), cipolla (51)
ANEMIA • arancia amara (82)
ANGINA • cipolla (52)
ANORESSIA • aglio (34), arancia dolce (75)
ARTERIOSCLEROSI • limone (10), aglio (34), cipolla (52), arancia dolce (75)
ARTICOLAZIONE ANCHILOSATA • cipolla (53)
ARTRITE • limone (11), aglio (35)
ARTROSI • limone (11)
ASCESSO • aglio (35)
ASCITE • cipolla (53)
ASMA • cipolla (53)
ASTENIA • limone (11)
ATONIA • limone (12)
ATONIA INTESTINALE • limone (12)
ATONIA SENILE • limone (13)
ATROFIA EPATICA • cipolla (54)
BRONCHIECTASIA • aglio (35)
BRONCHITE • limone (13), cipolla (54)

BRONCHITE FETIDA • aglio (36)
CALCOLI URINARI • aglio (36)
CALCOLOSI RENALE • limone (13), cipolla (54)
CALCOLOSI VESCICALE • limone (13)
CALLI • limone (14), aglio (37), cipolla (55)
CANCRO • aglio (37)
CAPELLI • cipolla (71)
CARIE DENTARIA • aglio (37)
CATTIVA CIRCOLAZIONE • limone (14)
CEFALEA DA DISPEPSIA • arancia amara (83)
CIRROSI EPATICA • cipolla (55)
CISTALGIA • aglio (37)
CISTE ESTERNA • aglio (38)
CISTITE • cipolla (55)
CLOROSI • limone (14), arancia amara (83)
CLORUREMIA • cipolla (56)
COLECISTITE • limone (15)
COLERA • limone (15)
COLICA EPATICA • limone (15)
COLICA VENTOSA • aglio (38)
CONGESTIONE • cipolla (56)
CONTUSIONI • cipolla (56)
CONVALESCENZA • limone (16), arancia dolce (76), arancia amara (83)
CRESCITA DEI BAMBINI • arancia dolce (76)
DEBOLEZZA ORGANICA • aglio (38)
DIABETE • limone (16), aglio (38), cipolla (56), arancia dolce (77)
DIARREA • cipolla (57)
DISPEPSIA • cipolla (57), arancia amara (84)
DISPEPSIA GASTRICA • limone (16)
DISPEPSIA IPOCLORIDRICA • arancia dolce (77)
DISSENTERIA • aglio (39)
DISSENTERIA BACILLARE E AMEBICA • aglio (39)
DISTONIE DEL NEUROVEGETATIVO • arancia amara (84)
DOLORI AL BASSO VENTRE • cipolla (58)
ECZEMA • limone (16)
EDEMI • cipolla (58)
ELMINTIASI • limone (17), aglio (39), cipolla (59)
EMICRANIA • limone (17), cipolla (59)
EMORROIDI • cipolla (59)
EPISTASSI • limone (18), cipolla (60)

ERITEMA • limone (18)
ERITREMIA • cipolla (60)
FEBBRE BILIARE • arancia amara (84)
FEBBRE INTERMITTENTE • limone (18)
FEBBRE TIFOIDEA • aglio (39)
FEGATO GRASSO • arancia dolce (77)
FLEBITE • limone (19)
FLEMMONI E FORUNCOLI • cipolla (60)
GANGRENA POLMONARE • aglio (40)
GASTRALGIA • limone (19)
GASTROENTERITE • aglio (40)
GELONI • limone (20), cipolla (60)
GENGIVITE CON STOMATITE • limone (20)
GENGIVORRAGIA • arancia dolce (78)
GLOSSITE • limone (20)
GOTTA • limone (20), cipolla (61), arancia dolce (78)
GRAVIDANZA • limone (21)
INAPPETENZA • limone (21)
INFEZIONI • limone (21), aglio (40)
INFEZIONI INTESTINALI ACUTE • cipolla (61)
INFLUENZA • cipolla (61)
INGROSSAMENTO DEI GANGLI LINFATICI • aglio (41)
INSONNIA • arancia dolce (79)
INSONNIA NERVOSA • arancia amara (85)
INSUFFICIENZA EPATICA • limone (22)
INSUFFICIENZA GASTRICA • limone (22)
INVOLUZIONE • arancia dolce (79)
IPERCLORIDRIA • arancia amara (85)
IPEREMESI GRAVIDICA • arancia amara (85)
IPERGLOBULIA • cipolla (62)
IPERTENSIONE • limone (22), aglio (41), arancia dolce (80)
IPERTIROIDISMO • limone (23)
IPERTROFIE SPLENICHE • cipolla (62)
IPOCLORIDRIA • cipolla (63)
ISTERISMO • arancia amara (86)
ITTERIZIA • limone (23)
LENTIGGINOSI • arancia amara (86)
LOMBAGGINE • aglio (42)
MACCHIE ROSSE SULLA PELLE ED EFELIDI • limone (29), cipolla (71)
MALARIA • limone (23)

MALATTIE CARDIOVASCOLARI • aglio (42)
MALATTIE INFETTIVE • aglio (43)
MALATTIE PARASSITARIE • aglio (43)
MAL DI GOLA • limone (23)
MALESSERI GENERALI • arancia amara (87)
MANI • cipolla (71)
METABOLISMO BASALE ALTERATO • limone (24)
METEORISMO • limone (24), aglio (43)
MORBO DI BASEDOW • cipolla (63)
NEFRITE • limone (24), cipolla (63)
NERVOSISMO DA DISPEPSIA • arancia dolce (80)
NEVRALGIA • limone (24), arancia amara (87)
OBESITÀ • limone, (25), cipolla (64), arancia dolce (80)
OCCHI • limone (29), cipolla (72)
OCCHIO DI PERNICE • limone (25)
ODONTALGIA • aglio (43)
OLIGURIA O ANURIA • cipolla (64)
OTALGIA • aglio (44)
OTITE REUMATICA • cipolla (64)
PATERECCIO • cipolla (65)
PERICARDITE • cipolla (65)
PERTOSSE • aglio (44)
PIEDI • limone (30)
PLETORA • cipolla (65)
POLMONITE • limone (25)
PORPORA EMORRAGICA • limone (26)
PROSTATA IPERTROFICA • cipolla (65)
PRURITO • limone (26)
PUNTURE DI API E DI RAGNI • cipolla (66)
PUNTURE DI ZANZARA • limone (26)
RENELLA • aglio (45), cipolla (66)
REUMATISMI • aglio (45), cipolla (67)
REUMATISMO ARTICOLARE ACUTO E SUB-ACUTO • limone (27)
REUMATISMO CRONICO • arancia dolce (81)
RINITE CATARRALE • limone (26), cipolla (67)
SCABBIA • aglio (46)
SCORBUTO • limone (27)
SCOTTATURE • aglio (46), cipolla (68)
SINGHIOZZO • limone (27)
SORDITÀ DI ORIGINE REUMATICA • aglio (46)

STATI DA ENFISEMA • aglio (46)
STITICHEZZA • limone (28), cipolla (68)
STITICHEZZA CRONICA • aglio (46)
STITICHEZZA DA ATONIA • arancia dolce (81)
TABAGISMO • aglio (47)
TACHICARDIA • arancia amara (87)
TACHICARDIA PAROSSISTICA • arancia amara (88)
TONSILLITE • aglio (47)
TORCICOLLO • aglio (47)
TOSSE • cipolla (68)
TOSSE DI ORIGINE NERVOSA • aglio (48), arancia amara (88)
TOSSICOSI • arancia dolce (82)
TROMBOSI • limone (28)
TROMBOSI ALLE CORONARIE • cipolla (69)
TUBERCOLOSI • cipolla (69)
TUBERCOLOSI INTESTINALE • aglio (48)
TUMORETTI SUPERFICIALI • aglio (48)
TUMORI INDURITI DA MATURARE • cipolla (70)
TUMORI MALIGNI • cipolla (70)
UBRIACHEZZA DA STUPEFACENTI • limone (28)
UNGHIE • limone (30)
UREMIA • cipolla (70)
URICEMIA • limone (28), cipolla (71), arancia dolce (82)
VARICI • limone (28)
VERRUCHE ALLE MANI • limone (29), aglio (48)

Indice

Stampato presso la
AGEL s.r.l.
Rescaldina (Milano)